职业教育增材制造技术专业系列教材

增材制造技术基础

第 2 版

主　编　鲁华东　张　骜　杨　帆
参　编　任　强　彭海霞　肖　波　张　斌
　　　　蔡一平　金玉林　张雪峰　汪　珉

机 械 工 业 出 版 社

本书是根据《中等职业学校增材制造技术应用专业教学标准》，同时参考增材制造（3D 打印）设备操作员职业工作任务编写的。

本书分为文化篇、专业篇、职业篇和创客篇，内容广泛，专业性突出，系统性强，形成了概念、技术细节和综合应用的有机整体。本书主要介绍了增材制造技术的发展历史；按照工艺分类讲述了熔融沉积成型（FDM）、光敏树脂光固化成型（SLA/DLP/PolyJet）、选择性激光烧结/熔融成型（SLS/SLM）及其他快速成型方法（3DP/LOM）等增材制造技术，着重介绍了工艺原理、设备操作方法、材料选用、工艺特点、关键技术及零件性能，还有预处理与后处理方法；介绍了增材制造技术对应的岗位及作为准企业员工需遵守的规范和需具备的安全意识；介绍了国内增材制造行业的知名人物，以提升学生的专业认同感；在创客篇中还普及了创客精神，展示了一些利用增材制造技术进行创客制作的案例。

本书选用了大量来自行业、企业的图片，采用案例、流程图、图表等形式使内容浅显易懂、逻辑清晰，并具有吸引力，可极大地激发学习者的求知欲，是职业院校增材制造技术应用专业的入门教材；采用“校企合作”模式，同时运用了“互联网+”形式，在重要知识点嵌入二维码，方便读者理解相关知识，进行更深入的学习。

本书既可作为职业院校机械、机电、汽车等相关专业的教材，又可作为增材制造相关岗位的培训教材，还可供从事计算机辅助设计与制造、模具设计与制造等工作的工程技术人员参考。

为便于教学，本书配套有电子教案、助教课件、教学视频、习题答案等教学资源，选择本书作为教材的教师可来电（010-88379193）索取，或登录 www.cmpedu.com 网站，注册、免费下载。

图书在版编目（CIP）数据

增材制造技术基础/鲁华东，张鹜，杨帆主编．—2 版．—北京：机械工业出版社，2022.8（2024.8 重印）

职业教育增材制造技术专业系列教材

ISBN 978-7-111-71153-7

Ⅰ.①增… Ⅱ.①鲁… ②张… ③杨… Ⅲ.①快速成型技术-职业教育-教材
Ⅳ.①TB4

中国版本图书馆 CIP 数据核字（2022）第 121788 号

机械工业出版社（北京市百万庄大街 22 号 邮政编码 100037）
策划编辑：黎 艳 责任编辑：黎 艳
责任校对：闫玥红 王明欣 封面设计：张 静
责任印制：郜 敏
三河市国英印务有限公司印刷
2024 年 8 月第 2 版第 4 次印刷
184mm×260mm · 11 印张 · 265 千字
标准书号：ISBN 978-7-111-71153-7
定价：45.00 元

电话服务 网络服务
客服电话：010-88361066 机 工 官 网：www.cmpbook.com
010-88379833 机 工 官 博：weibo.com/cmp1952
010-68326294 金 书 网：www.golden-book.com
封底无防伪标均为盗版 机工教育服务网：www.cmpedu.com

党的二十大报告中指出“实施科教兴国战略，强化现代化建设人才支撑”，将“大国工匠”和“高技能人才”纳入国家战略人才行列，本书以技能培养为主线来设计内容，根据教育部公布的《中等职业学校增材制造技术应用专业教学标准》，同时参考增材制造（3D打印）设备操作员职业工作任务编写的。

增材制造（AM）技术也称为3D打印技术，是20世纪80年代中期出现的新技术，目前发展十分迅速，应用也非常广泛，从航空航天器到汽车、从文物保护到生物医疗、从建筑到模具，增材制造均有所涉及。近年来，随着增材制造技术应用越来越广泛，各种先进的增材制造设备被众多企业选用，企业对于掌握增材制造技术人才的需求越发迫切。

现阶段人们对于增材制造的认识还是较为初浅的，很多人对于增材制造的认知还停留在熔丝堆积、一键加工这种比较初级的技术层面。实际上，经过数十年的发展，增材制造技术已经包含了多种成型类型、材料种类，围绕增材制造前、中、后各个环节也发展出了成体系的内容。通过本书的学习，学生可以对增材制造技术有更全面的认识，对将来的职业做出更好的规划。

本书是增材制造技术应用专业的入门教材，也是机械、汽车相关专业认识增材制造技术的媒介，本书内容包含文化篇、专业篇、职业篇和创客篇四部分。

第一篇文化篇，介绍了增材制造的发展历史与现状、增材制造在各行各业的应用，通过案例说明了增材制造在行业生产中的重要地位。

第二篇专业篇，介绍了增材制造的主要类型、常用材料、主流设备操作方法、前期的模型数据预处理以及制件后处理等知识。

第三篇职业篇，介绍了增材制造技术所对应的岗位，作为准企业员工需遵守的规范和需具备的安全意识，以及国内行业知名的领军人物事迹。

第四篇创客篇，介绍了创客精神，并展示了一些利用增材制造进行创客制作的案例，以激发学生的创新精神。

本书根据职业院校学生的认知特点，以全新的理念来编写，力求在传统教材的基础上有较大的突破，重点强调培养学生在增材制造生产中各环节的操作及应变能力。总体而言，本书在编写过程中力求体现以下特色。

1）依据新标准。紧密对接教育部《中等职业学校增材制造技术应用专业教学标准》，同时参考了人社部新颁布的增材制造（3D打印）设备操作员职业工作任务内容，做到了既依据新教学标准和课程大纲要求，又对接职业标准和岗位需求。

2）体现新模式。采用理实一体化的编写模式，贯彻“做中教，做中学”的职教理论，引导学生改变学习方式，通过对增材制造生产全流程的参与，为将来融入社会，从事增材制造技术相关岗位奠定基础。

3）融入新内容。充分反映行业企业的新技术、新设备、新工艺，通过真实案例的融入，增进学生对于该领域内容的掌握，激发学生对专业的认同感。

4）贯彻新理念。根据职业院校学生的认知特点，采用大量的图片展现各知识点，尽量以丰富的信息给学习者多感官的体验和感受。同时运用了“互联网+”技术，在部分知识点处设置了二维码，使用者用智能手机扫描，即可浏览相关的多媒体内容，方便读者理解相关知识，进行更深入的学习。

本书建议 60 学时，任课教师可根据学校的具体情况做适当的调整。

本书由鲁华东、张骜、杨帆任主编，参加编写的还有任强、彭海霞、肖波、张斌、蔡一平、金玉林、张雪峰、汪珉。在编写过程中，编者参阅了国内外出版的有关教材和文献，在此一并向相关作者表示衷心的感谢！

由于编者水平有限，书中不妥之处在所难免，恳请读者批评指正。

编　者

二维码索引

（续）

序号	名　称	二维码	页码	序号	名　称	二维码	页码
19	设置机器和建立平台		95	30	生态加湿器		159
20	手动摆放零件		97	31	双足步行机器人		159
21	自动摆放工具		98	32	小台钻		160
22	3D 摆放		101	33	无人机		161
23	自动生成支撑		104	34	重力势能小车		161
24	手动修改支撑		105	35	浮雕灯		161
25	车灯逆向造型设计动画		126	36	机械手		161
26	冰墩墩摆件		149	37	蛇形爬行机器人		162
27	数字日晷		150	38	多功能台灯		162
28	魔法棒		155	39	柔光蓝牙音乐加湿器		162
29	磁悬浮植物景观		156	40	生活中的发明创造		162

目录

第一篇 文 化 篇

第一章

有增无减——认识增材制造

学习目标

1. 了解增材制造的定义与特点。
2. 了解增材制造技术的发展历程。
3. 增强学生对增材制造技术知识学习的兴趣。

增材制造，俗称3D打印，是一种以数字模型文件为基础，将塑料或金属等材料通过逐层叠加的方式来构造物体的技术。增材制造有许多类型，成型方式各有不同，而“3D打印”这个说法原来特指其中的一种三维立体喷印（3DP）技术，随着应用的普及，“3D打印”这一叫法逐渐深入人心，现在也可理解为基本等同于“增材制造”的含义。

在本书中，出现的“3D打印”字样如无特别说明，则泛指“增材制造”。

一、什么是增材制造技术

增材制造技术出现在20世纪80年代中期，与普通打印工作原理基本相同，在打印机内装有液体或粉末等打印材料，与计算机连接后，通过计算机控制把打印材料一层层叠加起来，最终把计算机上的图形变成实物。这种打印技术称为3D立体打印技术。

增材制造通常是通过数字控制技术的设备来实现的。起初在模具制造、工业设计等领域被用于模型制造，后来逐渐用于一些产品的直接制造，目前已经广泛使用这项技术打印零部件，如图1-1所示，该技术还广泛应用在珠宝、玩具、灯具、鞋类、工业设计、建筑、工程和施工（AEC）、汽车、航空航天、医疗、教育、地理信息系统、土木工程等领域。

1. 增材制造技术的优点

（1）节省材料　不同于减材制造，增材制造在生产中几乎不产生废料，也不用去除边角料，因此大大提高了材料的利用率。

（2）可成型任意复杂的结构　利用增材制造技术能实现一般 CNC 无法加工的产品造型，由于无须顾虑加工时的装夹、刀具干涉等问题，因此可以制造出传统加工方法难以制造的复杂制件。

建筑　科研技术　医疗　工业设计

玩具　灯具　珠宝　医疗(义齿)

图 1-1　增材制造的一些应用领域

（3）生产方便快捷　有三维模型即可生产出产品，不需要传统的工量刃具、机床以及任何模具就能直接把计算机中的数据模型变成实物产品。在实际生产中，不仅可以大大缩短产品研发周期，还可以进行一些小批量个性化定制。

2. 增材制造技术的缺点

（1）大批量生产中相对成本高、工时长　当进行大批量生产时，增材制造相对而言仍是比较昂贵的技术，目前用于增材制造的耗材、设备成本较高，同时制造效率也略低。因此在大批量、大规模生产的情况下，传统制造业中减材制造、模具制造仍更胜一筹。

（2）打印材料受限　当下增材制造技术的局限和瓶颈主要体现在材料上，可供打印材料主要是塑料、树脂、石膏、陶瓷、橡胶和金属等，其中绝大部分是塑料，并且种类也非常有限。不仅缺乏性能优异的工程塑料，而且能够打印的金属品类非常少，这一点也大大影响了增材制造的应用范围。

（3）精度和质量问题　由于增材制造技术固有的成型原理以及发展还不完善，其打印成型零件的精度、物理性能及化学性能等大多不能满足工程实际的使用要求，因此不能大范围作为功能性零件，更多只能做原型件使用。

二、增材制造的起源

在过去的 40 多年，增材制造技术经历了飞速的发展。20 世纪 80 年代，增材制造还只是一种非商业化的技术，到 2014 年，它已经拥有超过 40 亿美元的市值；到 2020 年，全球增材制造的市值超过 200 亿美元。下面介绍几种主要类型的增材制造技术的起源。

1. FDM（熔融沉积成型）技术的起源

增材制造技术出现于 20 世纪 80 年代，但它并不是高科技实验室的产物，而是来自一位父亲的家用工作室。目前全球最大增材制造设备商是美国的 Stratasys，其创始人斯科特·克伦普（Scott Crump，图 1-2）在 1988 年为他女儿做了一个玩具青蛙，学过机械工程、做过焊接工作的克伦普决定把聚乙烯、蜡烛混合物装进喷胶枪，一层一层堆叠做出青蛙形状，Stratasys 的增材制造技术正是由此发展而来。而由此技术也衍生出了早期 FDM（熔融沉积成型）类型的 3D 打印机（图 1-3）。

图 1-2　Stratasys 创始人斯科特·克伦普

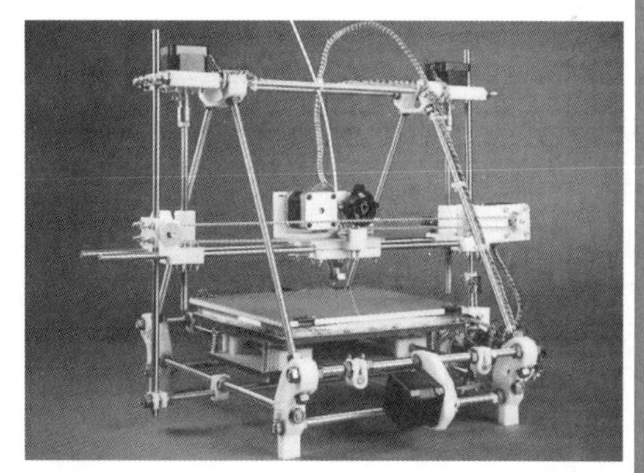

图 1-3　早期 FDM 类型的 3D 打印机

2. SLA（立体光固化）技术的起源

查尔斯·胡尔（Charles W. Hull，又称 Chunk Hull，图 1-4）出生于科罗拉多州的克里夫顿市，1961 年从科罗拉多大学获得工程物理学学士学位。1983 年，胡尔在紫外线设备生产商 UVP 公司（Ultraviolet Products）担任副总裁，这家公司利用紫外线来硬化家具和纸制品表面的涂层。胡尔每天在公司里接触各种各样的紫外线灯，看着那些原本是液态的树脂一碰到紫外线就凝固的过程。某一天他突然意识到，如果能够让紫外线一层一层地扫在光敏聚合物的表面上，使其一层一层地变成固体，并将这成百上千的薄层叠加在一起，就能够制造任何可以想象的三维物体。

1986 年 3 月 11 日，胡尔因这一发现获得专利授权，他在题为“Apparatus for Production of Three-Dimensional Objects by Stereolithography”的专利里面创造了术语“Stereolithography”，简称 SLA，也就是后来的立体光固化技术——即利用紫外线催化光敏树脂，层层堆叠然后成型。世界上最早的 SLA 类型 3D 打印机由此诞生（图 1-5）。

3. DLP（数字光学处理）技术的起源

DLP 技术是由美国德州仪器的拉里·霍恩贝克（Larry Hornbeck，图 1-6）博士所研发成功的。霍恩贝克博士于 1987 年将一种数字微镜器件（DMD）研究成功，直到 1993 年，这种以 DMD 为核心的光学系统才被命名为 DLP。最早的 DMD 芯片使用的是模拟技术驱动，反射面采用一种柔性材料，在当时被称为“变形镜器件”（Deformable Mirror Device）。

图 1-4 3D Systems 创始人查尔斯·胡尔

图 1-5 世界首台 SLA 类型的 3D 打印机

10 年后，霍恩贝克博士正式以数字控制技术取代模拟技术，开发出了新一代 DMD 器件，并将名称改为“数码微镜器件”（Digital Micromirror Device），该技术之后被用于制造 DLP 类型的 3D 打印机，如图 1-7 所示。这类 3D 打印技术的基本原理是用数字光源以面光的形式在液态光敏树脂表面进行层层投影，固化成型。

图 1-6 拉里·霍恩贝克博士

图 1-7 DLP 类型的 3D 打印机

4. SLS（选择性激光烧结）技术的起源

SLS 技术是目前高端增材制造领域普遍应用的技术。该技术最初由美国德克萨斯大学的卡尔·罗伯特·德卡德（C. R. Dechard，图 1-8）博士提出，并于 1989 年研制成功。凭借这一核心技术，德卡德组建了 DTM 公司，并制造了早期的 SLS 类型 3D 打印机，如图 1-9 所示。该公司一直是 SLS 技术的主导企业，直到 2001 年被 3D Systems 公司收购。一直以来，德克萨斯大学 DTM 公司的科研人员在 SLS 领域做了大量的研究工作，并在设备研制、工艺和材料研发上取得了丰硕的成果。

图 1-8　卡尔·罗伯特·德卡德博士

图 1-9　早期 SLS 类型的 3D 打印机

三、国内增材制造现状

查尔斯·胡尔成功将光学技术应用于快速成型领域，助推了我国增材制造行业的发展。20 世纪 80 年代以后，增材制造行业受到国内外的广泛关注，各种增材制造技术在多个行业应用并发展，已覆盖了制造、医疗、航空航天、军事等多个领域。

1. 国内增材制造技术应用现状

我国从 1991 年开始研究增材制造技术，当时的名称是快速原型技术，并一直在不断跟进开发。2000 年前后，这些工艺从实验室研究逐步向工程化、产品化转化。由于制造出来的只是原型，不是可以使用的产品，所以快速原型技术在我国工业领域普及得很慢，全国每年仅销售几十台快速原型设备，主要应用于职业技术培训、高校等教育领域。

2000 年以后，清华大学、华中科技大学、西安交通大学等高校进一步持续研究增材制造技术。西安交通大学侧重于应用研究，制造了一些模具和航空航天领域的零部件；华中科技大学开发了不同的 3D 打印设备；清华大学把快速成形技术转移到企业后，研究重点放在了生物制造领域。随着国内众多高校的持续研究，我国的增材制造技术也取得长足进步。根据中国国家知识产权局统计，截至 2019 年底我国 3D 打印技术专利申请数量已达到 18838 件，仅次于美国，排名世界第二。2019 年全球累计 3D 打印技术专利申请 95302 件，中国占全部专利数量的 19.77%。

2. 国内增材制造产业市场发展

相比全球平均水平，我国增材制造产业的市场规模增速更快。如图 1-10 所示，2014 年国内增材制造产业规模仅 4.6 亿美元，2018 年规模达到 18.3 亿美元，预计 2023 年，我国增材制造产业总收入将超过 100 亿美元。这种高增长性符合行业成长期的特征。

从产业布局来看，北京和上海主要聚集了扫描仪和控制软件厂商，以及 3D 打印机关键核心零部件的相关厂商；从 3D 打印设备层面看，湖北省和陕西省在金属材料 3D 打印领域具有一定的基础；广东省在辅助设计、个性化定制、艺术创意等应用服务层具有明显优势。

增材制造产业链涵盖前端的材料研发与制造、中间的设备制造以及后端各行业的应用，

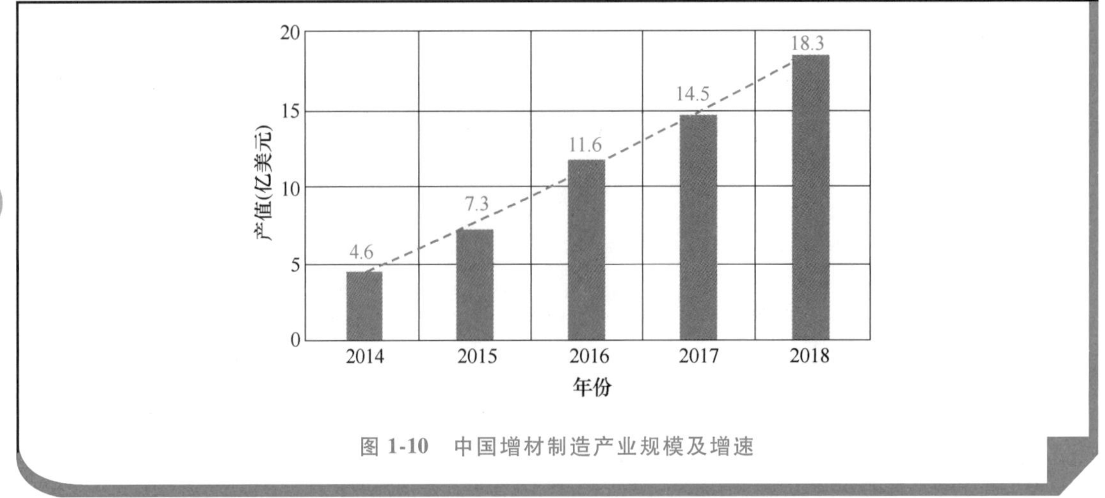

图 1-10　中国增材制造产业规模及增速

如图 1-11 所示。结合我国各区域发展现状，目前国内各地增材制造行业的产业分布有所不同，大致情况如下：

京津冀地区增材制造产业发展居于全国领先水平，形成了以北京为核心、多地协同发展，各具特色的产业发展格局。

长三角地区具备很好的经济发展优势、区位条件和制造业基础，已初步形成包括材料、设备和服务的全增材制造产业链。

珠三角地区是国内增材制造应用服务的高地，主要分布在广州、深圳、东莞等地。

中西部地区是国内增材制造材料的产业化重地，聚集了一批龙头企业。

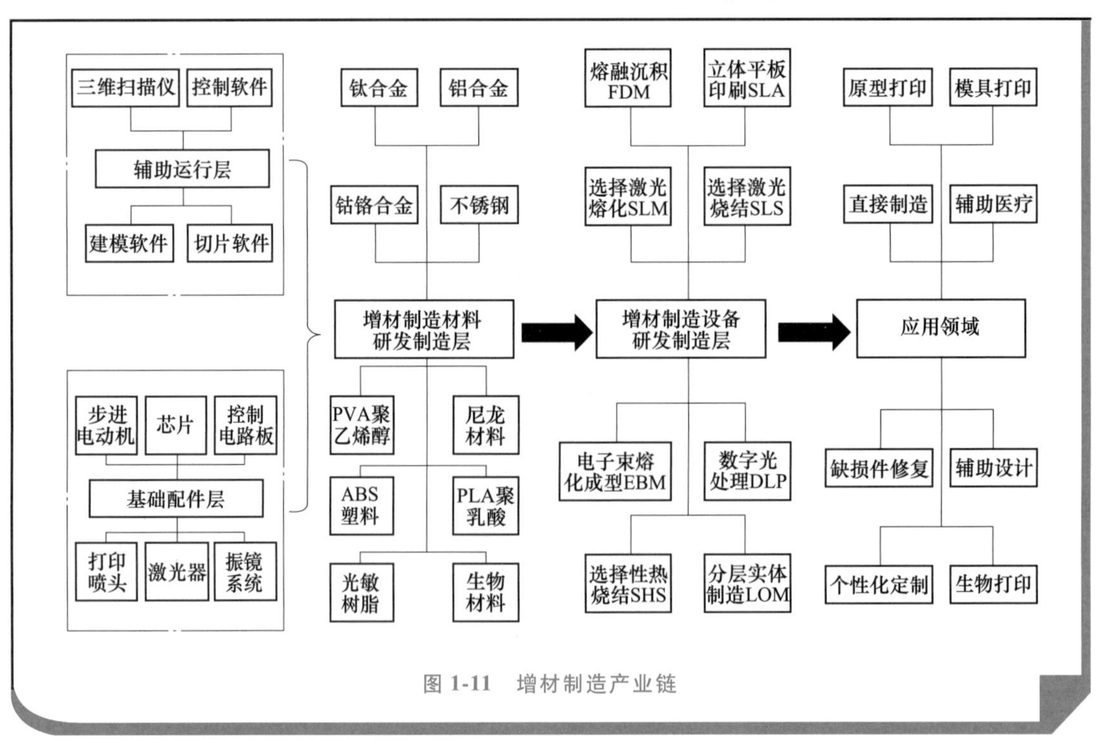

图 1-11　增材制造产业链

3. 国内增材制造行业应用

目前在增材制造产业的行业应用方面，工业产品占比达到55%，民用产品较丰富，占到29%，产值规模不断提升。在具体的应用领域方面，直接制造占到35%；另外，模型打印和原型打印的占比也比较高。表1-1列出了国内部分增材制造行业的应用情况。

表1-1　国内部分增材制造行业的应用情况

应用领域	代表性描述
航空航天	长征五号运载火箭的钛合金芯级捆绑支座采用3D打印技术
	第十一届中国国际航空航天博览会部分展览产品部件应用3D打印技术
汽车领域	2015年中国首台3D打印概念汽车在海南三亚发布
	部分企业汽车零部件应用3D打印技术
生物医疗	2016年世界首个3D打印脊椎植入手术在北京大学第三医院完成
	南京鼓楼医院国内首创3D打印个性化手术导航模板治疗蝶颚神经痛
	2016年底我国科学家已成功将3D打印血管植入恒河猴体内
建筑行业	2017年辽宁格林普建筑打印科技公司获百万级的旅游景点订单
	利用3D打印技术打印建筑模型

思考与练习

1. 增材制造的基本成型原理是什么？
2. 相比较于其他加工生产方式，增材制造有哪些优点和缺点？
3. 增材制造最早是在哪年被谁发明的？最早的成型类型是哪一种？

第二章

日增月盛——增材制造的应用

学习目标

1. 认识增材制造制作的典型产品。
2. 了解增材制造技术在相关行业中的应用。
3. 了解先进的增材制造技术及发展趋势。

一、增材制造技术在模具行业中的应用

增材制造技术在模具领域中的应用大体可分为样件试制和模具制造。

模具的优势在于产品的大批量生产，在模具制造前，有一个完整的产品设计开发过程。传统生产工艺中，要有产品就得先开模具，这样就存在一定的风险性。引入增材制造技术辅助产品的设计开发、试制样件，便很好地解决了此问题。如果反馈良好，便制造模具用于批量生产；倘若反馈不佳，则可以在正式开模前对产品进行改进。

在模具制作环节，增材制造技术同样有着广泛的应用。3D 打印模具可分为直接制模和翻制模具，前者指直接成型模具上的工作零部件，多用金属增材制造设备；后者则是指先制作一个产品原型，随后采用“翻模法”制作一些简易模具（如硅胶模具），此类情况多采用光固化增材制造设备。借助增材制造技术，可大幅缩短模具的生产周期以及降低生产成本。

此外，在模具的使用、维护阶段，使用增材制造技术也可以对模具进行局部调整改模，或是对模具进行修复。

增材制造技术最显著的优点之一就是可以在无须模具情况下直接生产出零件。随着打印材料及系统控制水平的提升，增材制造正在逐渐从少量原型产品制造向批量加工零件的趋势发展。同时在二者“废与立”关系的发展中，增材制造也通过实现复杂结构快速成型方面的优势，反过来被应用于模具制造中。典型的应用包括：3D 打印随形冷却水路注射模、使用黏结剂喷射技术直接制造砂模、蜡模母模的制作等。

阅读材料

金属 3D 打印模芯异形水路

Milacron 公司是一家为塑料加工行业提供支持的工业技术公司，其下属的模具品牌 DME 与 Linear AMS 公司达成了合作，提供 3D 打印金属材料随形冷却模具，帮助模具行业提高生产力。

3D打印模芯异形水路

这种随形冷却方案，能够将冷却通道设置在与模具表面保持最佳距离的地方，水路通道可根据模具轮廓形状随形设计，从而使模具表面尽可能保持固定并保持稳定的温度，冷却时间缩短一半。冷却区域还能到达一些被困气体难以到达的区域。随形冷却的模芯硬度可达到56HRC，全新的模具冷却通道设计可实现流动性能和热性能的可视化（图2-1）。与传统冷却水路相比，异形水路有利于缩短循环周期，显著提升质量，减少废料，让水路设计更灵活（图2-2）。

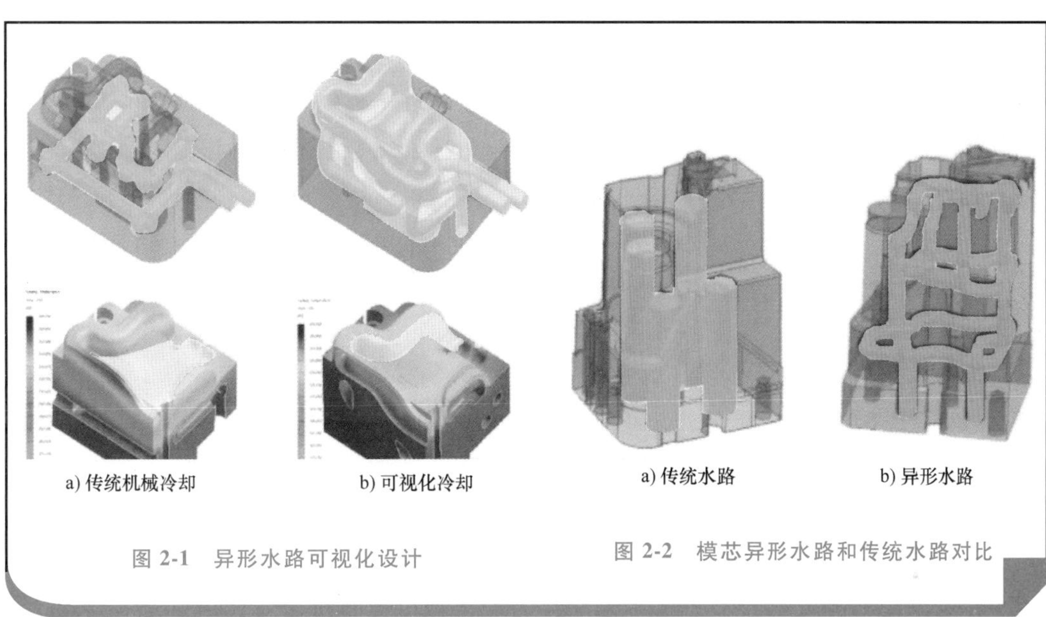
a) 传统机械冷却　b) 可视化冷却

图2-1 异形水路可视化设计

a) 传统水路　b) 异形水路

图2-2 模芯异形水路和传统水路对比

3D打印砂模解决轻量化大型铸件快速制造

农业机械制造商Amazone（阿玛松）公司是来自德国哈斯贝根的家族企业。该公司生产的其中一类产品是农业机械上带机架的紧凑型圆盘耙，这是一种固定在拖拉机上的装置，用于浅层和强化土壤种植，工作深度可达15cm。机架的作用是将设备连接到轴上，使圆盘耙设备能够被拖动。

Amazone公司在设计新一代农业机械机架时，使用了Altair的拓扑优化软件Inspire，设计出符合力学性能要求，并适合铸造的机架（图2-3）。拓扑优化技术使材料分布在零件合理的部位，使机架的铸件相比上一代底盘重量减轻了45kg，并且使用寿命延长2.5倍。3D打印技术则在实现这种复杂轻量化结构和铸件的快速制造方面发挥了重要作用。

Amazone公司使用了德国维捷（Voxeljet）公司3D打印设备VX4000制造机架铸造用的砂模。在打印之初，将CAD文件转换为适合3D打印的格式，随后操作人员将数据导入系统中。该机架的铸造砂模将被分为4个部分进行打印，打印完成之后，操作人员从设备中取出砂模，并进行后处理和组装，处理完成的3D打印砂模可以直接用于机架的铸造。通常为这样一个复杂的铸件制造铸造用的砂模是一个非常耗时、烦琐的过程，因此在进行铸件设计时，设计师就考虑使用3D打印设备直接进行铸件砂模的快速制造，这一制造工艺为铸件制造节省了时间。

此外，由于3D打印技术对于打印对象结构的复杂性不敏感，在制造复杂砂模时，不会因为产品的复杂性的提升而使成本显著上升。相对于使用传统制造方式制造复杂程度非常高的几何结构，3D打印设备甚至可以降低制造成本。

3D打印砂模

图2-3 由Amazone公司制作的砂模以及铸造成的机架铸件

二、增材制造技术在航空航天工业中的应用

金属增材制造技术被行业内专家视为增材制造领域高难度、高标准的发展分支，在工业制造中占有举足轻重的地位。世界各国工业制造企业都在大力研发金属增材制造技术，尤其是航空航天制造企业，更是全力加大研发力度，以确保自己的技术占据领先优势。

阅读材料

3D打印发动机支架

2018年11月1日，美国通用电气公司（GE）增材制造部门宣布，美国联邦航空管理局已批准3D打印支架用于波音客机发动机（双转子轴流式大涵道涡轮风扇发动机，图2-4），该支架将取代传统制造的电动门打开系统支架，其作用是打开和关闭发动机的风扇罩门，制造设备为GE Additive Concept Laser M2多激光器选区激光熔融系统。与传统方式制造的支架相比，增材制造技术将减少高达90%的材料浪费。在传统支架的制造中，因金属加工而产生的材料浪费约占50%。此外，3D打印支架采用了优化设计方案，重量比传统支架轻10%。

3D打印支架的制造成本低于原有成本，GEnx发动机的订单量为2200台，整体节约的成本非常可观，并且3D打印支架比传统支架更轻，可为飞机飞行节省燃料。

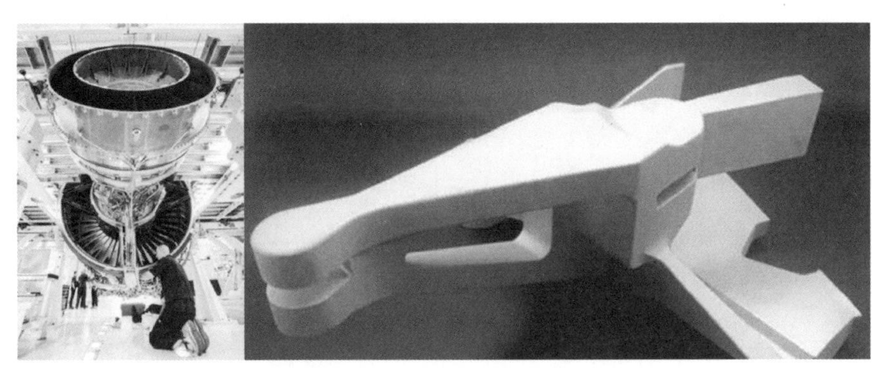

图 2-4 3D 打印波音客机发动机支架

3D 打印燃料喷嘴

2016 年 4 月，欧洲飞机制造商空客公司将 3D 打印的合金燃料喷嘴用于飞机发动机上（图 2-5）。燃料空气组合喷嘴是燃烧室中最关键的一个组件，它的作用是使液态燃料形成良好的雾化颗粒群，对液态、气态燃料和空气进行高效混合，在燃烧室头部产生稳定火焰的回流区，生成的旋流火焰满足燃烧室的点熄火、燃烧效率、排放物和出口温度指标要求。

目前，先进的燃料空气组合喷嘴往往采用燃油喷嘴+单级或多级旋流组件，燃油喷嘴流道和旋流空气流道结构复杂，采用传统制造方法，零件数量和加工工序较多，增材制造技术的出现为喷嘴生产制造提供了一个优化路径。这些 3D 打印的部件在 LEAP-1A 发动机上最显著的特征是降低碳排放量，同时还能节省 15% 以上的燃料。

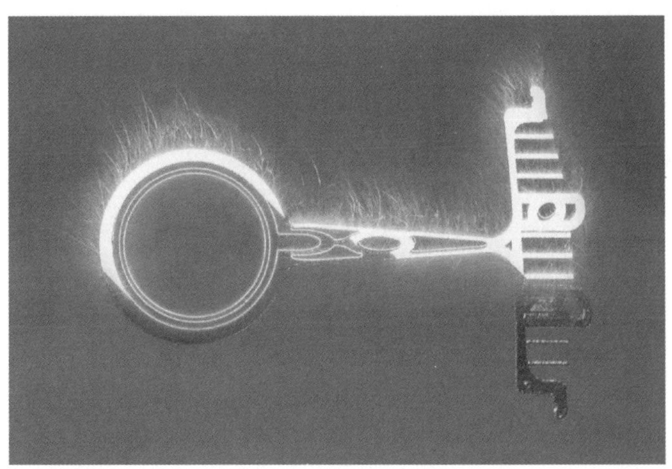

图 2-5 正在打印中的喷嘴

3D 打印航空结构件

图 2-6　3D 打印航空结构件

西安铂力特增材技术股份有限公司与中国商飞合作研发制造的国产大飞机 C919 型上的中央翼缘条零件（图 2-6）是金属增材制造技术在航空领域的应用典型。此结构件长 3m 多，是金属 3D 打印最长的航空结构件。如果采用传统制造方法，此零件需要超大吨位的压力机锻造而成，不但费时费力，而且浪费原材料，目前国内还没有能够生产这种大型结构件的设备。因此要想保证飞机的研发进程及安全性，只有向国外订购此零件，且从订货到装机使用，周期长达两年多，这严重影响了飞机的研发进度。而采用金属 3D 打印的中央翼缘条，其制作时间仅一个月左右，其结构强度达到甚至超过了锻件使用标准，完全符合航空使用标准。金属增材制造技术的应用在很大程度上缩短了我国大飞机的研制周期，确保了研制工作顺利进行。

三、增材制造技术在生物医疗行业中的应用

增材制造技术对于医疗行业而言，具有因人而异、就地制作、不限数量、节约成本的优势，正好能满足个体化、精准化医疗的需求。数字化增材制造技术在医疗领域的应用正处于持续高速发展的阶段。

阅读材料

3D 打印肩胛骨植入案例

深圳市第二人民医院首次成功利用 3D 打印技术，精确制出钛合金肩胛骨假体，用于癌症病人。

某李姓女子，不幸患上侵入性巨大肩胛骨肿瘤，如果不根治，需要面临截肢的可能。深圳市第二人民医院首次成功利用 3D 打印技术，精确制出钛合金肩胛骨假体（图 2-7），切除肿瘤后再将假体植入，让李女士成为深圳第一名“铁肩女”。这次手术医疗花费约 10 万元，李女士接受手术后，一两天便可出院，半年后可完全恢复正常生活。

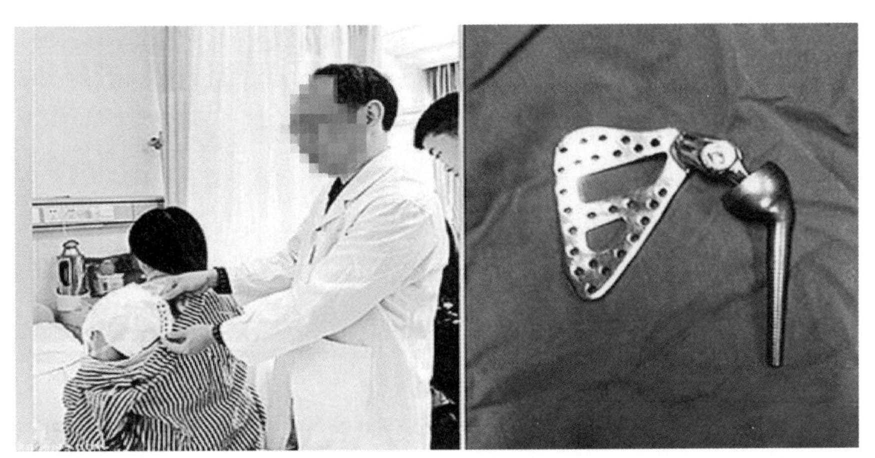

图 2-7　定制 3D 打印钛合金肩胛骨假体

3D 打印矫正器案例

3D 打印平台 Shapeways 与德国工业 3D 打印专家 EOS 合作，为设计师和企业提供面向市场的矫形器（图 2-8）和假体。Shapeways 所提供的选择性激光烧结 PA11 材料，是一种来自蓖麻油的生物降解尼龙材料，以尼龙的弹性和抗冲击特性而闻名。PA11 具有更高的强度和柔韧性，是一种抗冲击和延展性较好的材料，具有高断裂伸长率。PA11 适用于活动的、可穿戴物品和按扣，适合制作零件和铰链，非常适用于高冲击力的定制零件，如义肢、牙套、鞋垫和其他外部医疗需求。PA11 以天然白色涂层提供，也可以染成任何颜色。医疗市场需要这种经济实惠的材料来制作牙箍和义肢等。PA11 的推出为 Shapeways 与医疗从业者合作打开大门，将 3D 打印技术应用于定制医疗增强的生产。

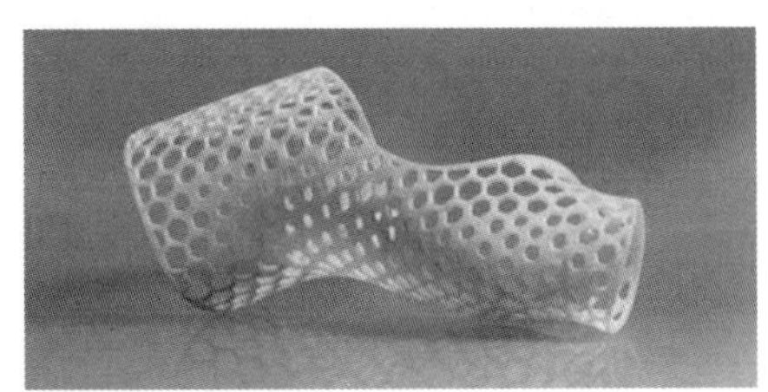
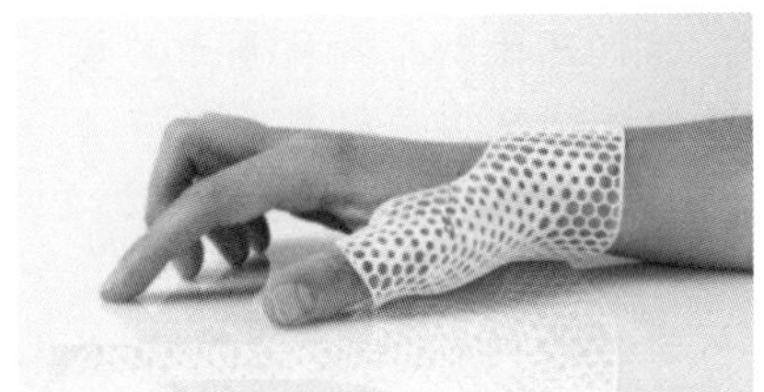

图 2-8　3D 打印尼龙矫形器

3D 打印肾脏复制品完成术前模拟

英国北爱尔兰贝尔法斯特市的年轻妈妈波琳·芬顿患有晚期肾病，依靠透析治疗。医生发现波琳的父亲是一个合适的肾脏捐赠者，但是与其女血型不合，而且肾脏源有潜在的癌性囊肿。这样一来，医生必须确保囊肿被精确完整切除，留下最大的健康移植组织，进而提高移植手术的成功率。考虑到移植准备的复杂性，外科医生与当地的医疗3D打印公司Axial3D合作，为患者量身定制手术预演。Axial3D使用CT扫描技术来构建移植者肾脏的1∶1数字模型，然后采用3D打印技术重现移植者的肾脏形状、结构和病变部位（图2-9）。

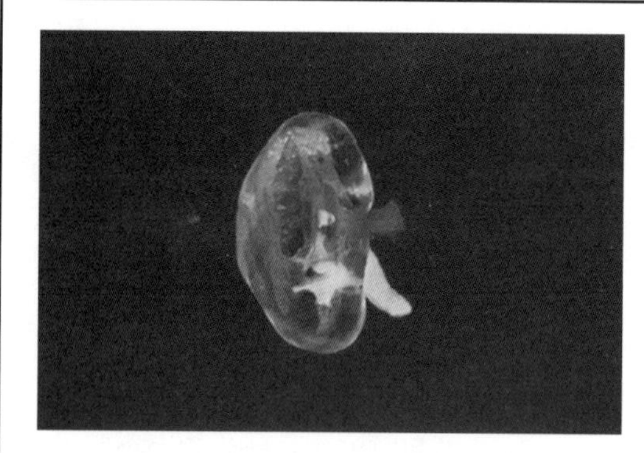
图2-9 3D打印1∶1肾脏模型

贝尔法斯特市医院的外科医生利用模型会诊，预演了手术进程，其中包含囊肿的精确尺寸和位置，并考虑了所有的并发症。最终，借助3D打印件实施模拟，手术取得圆满成功。

牙科应用3D打印口腔模型

缩短交付时间是义齿行业赢得市场竞争力和客户满意度的关键所在。为缩短患者在病痛中的等待时间，患者与牙医都愿意选择更加优秀的产品与服务。如果能将交付时间缩短哪怕一天，对于行业来讲便是一个重大突破。

深圳市康泰健牙科技术集团致力于通过先进技术来缩短生产周期，并以最快的速度为客户提供具有卓越精确度、个性化及成本优势的高品质义齿产品（图2-10）。通过将3D打印技术与口腔扫描、CAD/CAM软件技术相结合，技术人员能够精确而快速地制作出用于调试牙冠、牙桥、口腔活动修复的模型。除此之外，他们还能制作种植手术导板及其他正畸模型，可以缩短患者张开口腔的时间，减少患者不必要的痛苦。

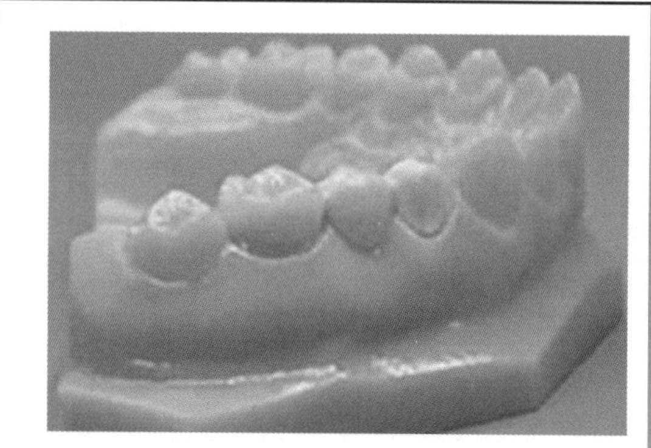
图2-10 3D打印口腔模型

四、增材制造技术在珠宝行业中的应用

在珠宝首饰行业传统的手工起版需要经过锯、锉、打磨抛光等复杂工序，徒手加工石蜡模型或者银铜等非贵重金属，从而得到第一件原始实物模型（图2-11）。目前，普通款式的戒指、吊坠，工匠师傅制作一件蜡版需要一天时间，复杂的款式则耗时更长，有的款式一周都未必能做出一个，还有一些很有创意的款式，按照传统手工制作方式是无法实现的。

增材制造技术有效地解决了传统首饰起版加工工艺复杂、制造周期长等问题，只需要珠宝设计师或首饰数字技术建模师，用计算机绘制3D首饰设计图稿，再将3D首饰图稿数据模型文件输入3D喷蜡打印机或者其他材料的3D打印机，即可进行自动化生产，从而得到原始的起版模型，省去人工起版的环节（图2-12）。

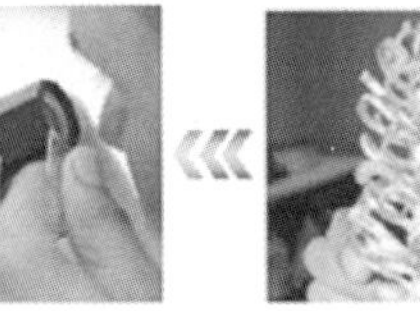

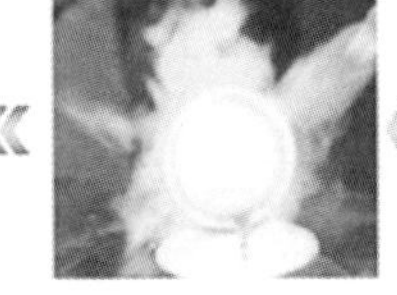

图 2-11　传统首饰起版加工工艺

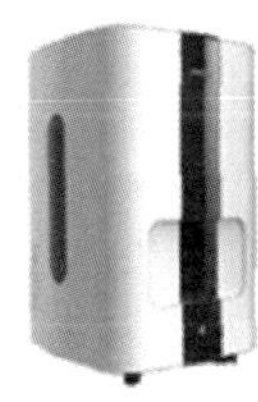

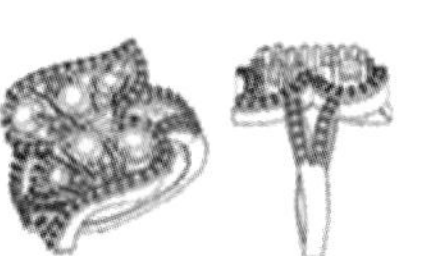

图 2-12　珠宝的增材制造技术

镶嵌首饰的镶口大小可在 3D 数据模型文件中自由更改，从而避免了因为不同大小镶口需要重新起版的麻烦，一款首饰的设计图需要至少相当于 10 多个样板；设计师可利用业余时间控制 3D 喷蜡打印机制作首饰蜡模（图 2-13），不仅减轻了劳动负担，同时缩短了工艺制作周期。此外，3D 喷蜡打印机所制作模型精度可以精确到 0.016mm，可以轻松制作出尺寸精准、结构复杂的个性化首饰。

图 2-13　3D 打印的首饰蜡模

阅读材料

3D 打印定制珠宝首饰

3D 打印平台 Shapeways 推出了珠宝品牌 Spring & Wonder，专门提供定制化的 3D 打印珠宝，顾客可以按照喜好选择银、14k 金、铜等不同材料，再自行搭配字母、几何图形等图样，打印出个性化的 3D 手链、项链或戒指等（图 2-14）。

将 3D 打印技术应用于首饰制作，首饰由 CAD 软件提供参数，使用激光烧结技术进行打印。打印的首饰没有孔隙或气穴等结构缺陷，并且不需要蜡模。不仅减少了原材料的消耗，还使首饰的设计具有更好的灵活性。

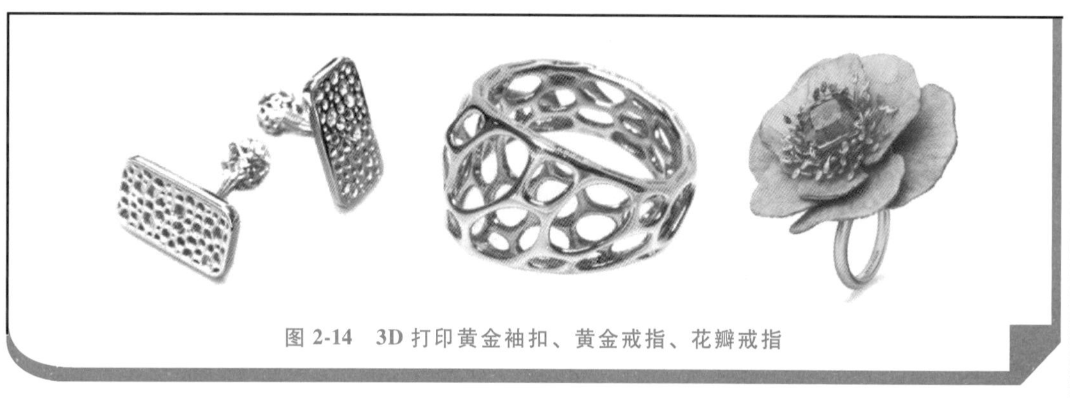
图 2-14 3D 打印黄金袖扣、黄金戒指、花瓣戒指

五、增材制造技术在建筑行业中的应用

3D 打印对于建筑行业的影响大致可以分为两类：建模沙盘模型的制作以及真实建筑的建造。

沙盘景观常常需要建筑模型，传统的方法是首先设计好楼房的结构，然后在计算机上分块，再按施工要求做出墙面的花纹、房顶的瓦棱、窗子等，最后使用 PVC 板进行雕刻并拼装黏合成型。这种方法不但过程复杂，而且最终效果往往并不是特别好。

随着增材制造技术的不断成熟，很多建筑设计师、建筑模型公司都开始采用增材制造工艺来协助完成建筑模型的制作。通过 3D 打印制作的沙盘景观建筑（图 2-15），有很多好处，例如：可以节约制造建筑模型的时间，只需启动 3D 打印操作即可，如果建筑元素非常复杂（如双曲面、复合外墙等），尤为适用；此外，3D 打印的模型质量好，可选用材料种类也很多，现在专业 3D 打印机可以打印出精密细节和平滑的表面，各种材料的选用范围也很广；

图 2-15 3D 打印沙盘景观建筑

最重要的一点，数字模型可以轻松地重新编辑，如果客户提出修改意见，可以在原有数据上编辑，再重新打印。如果还需要相同的模型，设备可以自动完成。

而在建造真实建筑方面，增材制造技术也有所建树。传统建筑是一门综合性学科，从整体规划、外观设计、内部设计到施工工艺等，包括规划、勘察、设计、施工、竣工等各项技术工作，工作量十分庞大。增材制造技术则颠覆了传统建筑的理念，在造型结构方面，其更加“自由”，不同于传统直线形，3D 打印能够轻松创建曲线形的建筑物（图 2-16），并且可以铺设混凝土层，留出水、电、气管道所需的空间，甚至实现空心结构；在成本方面，它更为“节省”，综合建筑材料和人工成本两方面考虑，合理使用增材制造技术可以为建筑降低 60%～80%的成本。

图 2-16　3D 打印建筑物

六、增材制造技术在汽车行业中的应用

汽车行业是增材制造技术应用最成熟的领域之一，现阶段在汽车行业的应用主要体现在研发、试制、生产线的工装夹具、定制化改装以及量产环节中。

在设计研发阶段，若考虑尺寸与装配验证，车上绝大多数的非精密零部件都可以通过增材制造技术制造，并满足验证要求；若要实现功能性验证，考虑到增材制造用的材料和工艺特点，可使用增材制造的零件种类数量就会减少。

增材制造用的材料大体可分为金属与非金属两大类，其中金属 3D 打印件主要用于发动机、变速器、底盘和各类附件支架上，如图 2-17 所示；非金属 3D 打印件则主要用于车辆的内饰、外饰、密封件、轮胎等部位，如图 2-18 所示。

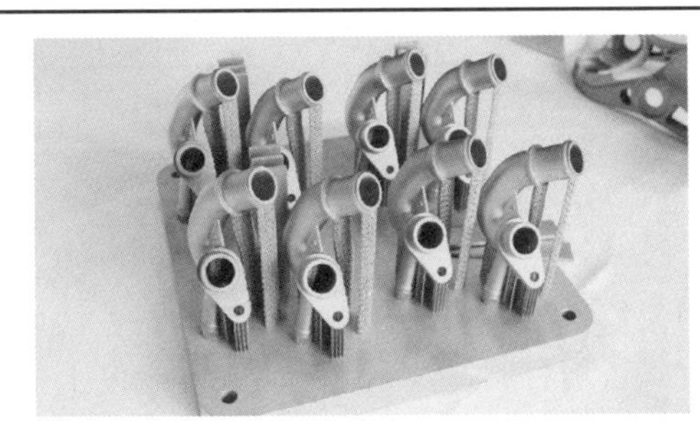

图 2-17　3D 打印发动机连接器

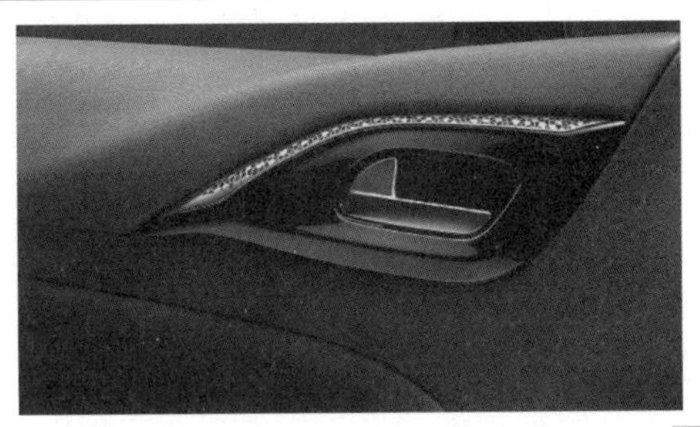

图 2-18　3D 打印汽车内饰

总体来说，虽然现阶段增材制造技术还有所缺陷，可以预见，随着增材制造用的材料种类不断丰富、成本不断降低、工艺逐步成熟，增材制造技术在汽车行业必然会有更广泛的应用。

七、增材制造技术在教育行业中的应用

近年来，很多学校不断探索新的教学模式，把增材制造与教学内容相整合。一方面，掌握增材制造技术提高了学生的科技素养和动手能力；更重要的一方面，利用3D打印完成模型设计与制造，能够显著提高学生的设计创造能力。3D打印创新进入校园，可以帮助学生在学习的体验上更为直观，并有助于提升学生的学习兴趣。

在基础教学范畴，增材制造技术可以使笼统、物理、构造、数学的概念，乃至是文学、艺术的概念立体化、三维化，成为可以看得见、摸得着的具体东西，帮助低年龄段的学生培养空间想象力。

在职业教育范畴，增材制造技术已经横跨数控、模具、机电、动漫、珠宝等多个专业领域，学生掌握一些3D打印技能对于其未来的职业发展可以起到很大的帮助。

增材制造为教育行业打开了一扇新窗口，学生不仅可以体会到这种技术辅助教学的便利和各种创新用法，还可以此作为学生学习设计技能的推动力，更会对技术素养和未来的职业发展产生深远的影响。不仅如此，增材制造在教学方面的探索性应用也已经展开，作为一种通用的技术，它可以应用到大部分的学科中去，涵盖正式学习、非正式学习和培训等类型的教育，尤其适用于设计、工程相关领域或需要快速制作模型的领域。其具体应用见表2-1。

表2-1 增材制造在各学科教学中的应用

序号	学科/领域	应用
1	电子	制作替代部件、模型夹具和设备外壳等
2	化学	制作3D分子模型等
3	生物、医学	打印出分子、病毒、器官、人工关节或其他模型
4	教学	可根据教学方程打印出模型，用于解决几何曲面问题、城市布局设计等
5	航空	打印出飞机模型，作为空气动力学的试验模型
6	地理	制作立体的地形图、人口统计图等直观模型
7	烹饪	制作出菜品展示模型，打印出巧克力造型，甚至是人造食品
8	机电工程	根据设计作品快速制作出原型，或是可直接使用的齿轮、连杆等部件
9	建筑设计	打印出设计作品的微缩3D模型
10	历史、考古	用于复原历史上的工艺品、古董，用于复制易碎物品
11	动画设计	打印出作品的3D模型，如人物、动画角色模型
12	天文	根据观测数据，打印天体模型
13	力学	根据设计制作桥梁等模型，进行力学实验

八、增材制造技术在食品行业中的应用

随着增材制造技术的普及，食品3D打印机也已经诞生了。和传统3D打印机不同，它并非采用塑料等耗材，而是把食物的材料和配料预先放入容器内，再输入模型数据，然后加工成型为可以吃的食物。相对于传统的食品加工方式，增材制造技术可以在一定程度上提高餐饮业的工作效率，将厨师从繁杂工作中解放出来。

3D打印食物中新的纹理和潜在的营养价值也是其特色之一。人们对食品的关注主要集

中在营养、口味、外观和方便性等方面。中国居民的膳食营养结构不平衡是影响国民健康的重要因素，也愈发引起人们的重视，而将增材制造技术引入健康食品加工领域，采用多品种的原料混合复配，使蛋白、脂肪、碳水化合物、维生素、矿物质及其他功能因子等营养素成分按照需求比例加以平衡，在满足原料加工适宜性的前提下，制作成营养均衡、美味可口、色彩丰富、方便食用的新型食品，实现对团体人群或个性化精准营养的配餐供应，应用前景十分广阔。

阅读材料

Foodini 食品 3D 打印机

西班牙 Natural Machines 公司开发了一种可以让消费者自行打印食物的 3D 打印机（图 2-19），这种机器可以把新鲜原料加工成可以食用的成品，如蛋糕和小饺子。这家公司力图使用增材制造技术重塑人与食物的关系。他们的想法是，用户可以在早上上班前把机器设置好，当晚上回家时一份香喷喷、新鲜的意大利面已经准备好了。

不像其他的 3D 打印机只能打印单一的材料，Natural Machines 的产品配备有 6 个胶囊以准备 6 种不同材料。它还有一个内置的加热器，可以在打印过程中给食物保温。将来用户可以在商店里购买食品原料，轻松地把它们放进机器里。该设备还具有网络功能。

图 2-19　Foodini 食品 3D 打印机

煎饼 3D 打印机

由清华大学毕业生王鑫等组成的三弟画饼团队自主研制软件以及开发硬件，经多次尝试，研发出外形适中的煎饼 3D 打印机（图 2-20）。2015 年 9 月，《清华毕业生弃百万年薪卖 3D 煎饼》这一新闻席卷了中国几百家媒体，并且这一话题持续了数月。只需要混合面浆、选择图案，然后单击“打印”按钮，简单几步就能将卡通图案、文字和人像照片等打印成美味的薄饼，这真是太有创意的机器。

图 2-20　煎饼 3D 打印机

巧克力 3D 打印机

Choc Creator 是世界上第一台商用巧克力 3D 打印机（图 2-21）。这款桌面级巧克力 3D 打印机虽然构造简单，但极富创造性。它为那些热衷于体验新技术的用户提供了新鲜的趣味体验。这款打印机采用巧克力作为打印材料，喷头采用注射的方式，方便随时更换和清洗。此外，若这种注射式喷头“墨水”用完，用户还可以用其他巧克力糖果来代替再将其装满，更换安装也很简单，方便灵活，可在蛋糕、饼干、餐具甚至是其他巧克力上打印出所需的巧克力装饰造型。

图 2-21　Choc Creator 巧克力 3D 打印机和各种造型的巧克力

九、增材制造技术在文物保护领域的应用

许多文物由于年代久远、风吹日晒，已经出现了非常严重的风化、破损现象，随着增材制造技术以及三维扫描技术的发展，这一问题有望得以解决。一方面，伴随国家对博物馆数字化进程的大力推进，三维光学扫描技术的引入可以帮助建立“文物数据档案”甚至“数字博物馆”；另一方面，很多博物馆与文物修复工作者尝试利用增材制造技术让支离破碎的文物“起死回生”，在修复的同时可以继续传承。

与传统制作方式相比，利用增材制造技术复制这样的一件文物过程并不繁杂，首先利用扫描仪对文物进行数字化重建，构建文物真实的三维模型，并通过 3D 打印机打印出来，最后再对复制文物进行后期处理，包括表面上色、纹饰加工处理等步骤完成整个复制过程。整个过程要比原来节约一半的时间和成本；此外，和传统修复手法相比，增材制造技术以其无损、快速、精确等特点，突显出巨大的优势。

阅读材料

3D 打印大明宫城门

西安大明宫占地 350 公顷，是明清时期北京紫禁城的 4.5 倍，被誉为“千宫之宫”“丝绸之路的东方圣殿”。公元 896 年，大明宫毁于唐末的战乱。丹凤门是唐大明宫中轴线上的正南门，东西长达 200m，其长度、质量、规格为隋唐城门之最，体现其千般尊严、万般气象的皇家气派。它的规制之高、规模之大均创造了都城门之最，对研究唐长安城和中国都城考古均有重要价值，被文物考古界誉为“盛唐第一门”。

随着时代的变迁，这些古老宏伟的建筑也慢慢消失在岁月的长河中，这使后人对中国古代建筑智慧的探索研究和弘扬面临阻碍。随着增材制造技术和三维数字虚拟仿真技术的日益成熟，技术人员还原了大明宫丹凤门城门（图 2-22），这对遗址研究和保护也起到一定的促进作用，有利于后人更好地了解大唐盛世。

图 2-22 大明宫城门（左）与大明宫城门数字造型（右）

3D 打印鹿形金怪兽仿制品

图 2-23 3D 打印鹿形金怪兽仿制品

陕西博物馆利用增材制造技术，制作出国宝级文物——鹿形金怪兽的仿制品（图 2-23）。鹿形金怪兽的形象非常奇特，为一只长着多分枝卷角的鹿形，有鹰形嘴，每一个分枝卷角的顶端和尾端也生出一个同样的兽头，状如传说中的九头鸟，它是匈奴人冠冕上的装饰，反映了匈奴人对勇猛强悍动物的崇拜。这件金怪兽造型奇特，综合运用了多种工艺，制作精湛，全面反映了匈奴金银器制作技术的高超水平，被誉为最有代表性的匈奴艺术珍品。为了更好地保存原件，陕西博物馆选择利用增材制造技术来制作仿制品以供研究。

3D 打印三足陶鼎

汉代三足陶鼎，短直口、斜肩、鼓腹、腹部凸起弦纹、双耳、兽足；器物内侧与底部留有经烧结后形成的火石红，表面有“暴汗”现象（“暴汗”是指在不挂釉的陶器上，经过入窑焙烧后，表面出现一种极薄的亮层）。这件器物的“暴汗”处断面极薄、形状自然且均匀。“暴汗”部位多在器物的口沿与肩部，越靠下方与胎体的结合越不紧致，甚至有些地方已剥落。

利用增材制造技术将复制件打印成型后，采用传统着色工艺对其上色、做旧。将仿釉颜料与稀释剂相调和，先用喷笔将器物基底色整体地喷绘一层，使得整体色相与原器物相接近，再选用与原器物色彩风格一致的矿物质颜料局部弹拨、上色、做旧，仿制出原件“暴汗”处的光泽度（图 2-24）。

图 2-24 汉代三足陶鼎真品（左）与 3D 打印复刻汉代三足陶鼎（右）

思考与练习

查阅资料，找一找增材制造技术还可以用于哪些行业？并说明它在该行业有哪些具体的应用案例。

第三章

创新发展——走进增材制造行业

学习目标

1. 认识典型的增材制造制品。
2. 了解增材制造技术在相关行业中的应用。
3. 了解先进的增材制造技术及发展趋势。

一、增材制造在行业生产中的地位

1. 增材制造行业产业链分析

整个增材制造行业产业链大概可分为：上游基础配件行业；中游 3D 打印设备生产企业、3D 打印材料生产企业和配套支持企业；下游主要是 3D 打印的各大应用领域。通常意义上的增材制造行业则主要是指 3D 打印设备、材料及服务企业，如图 3-1 所示。

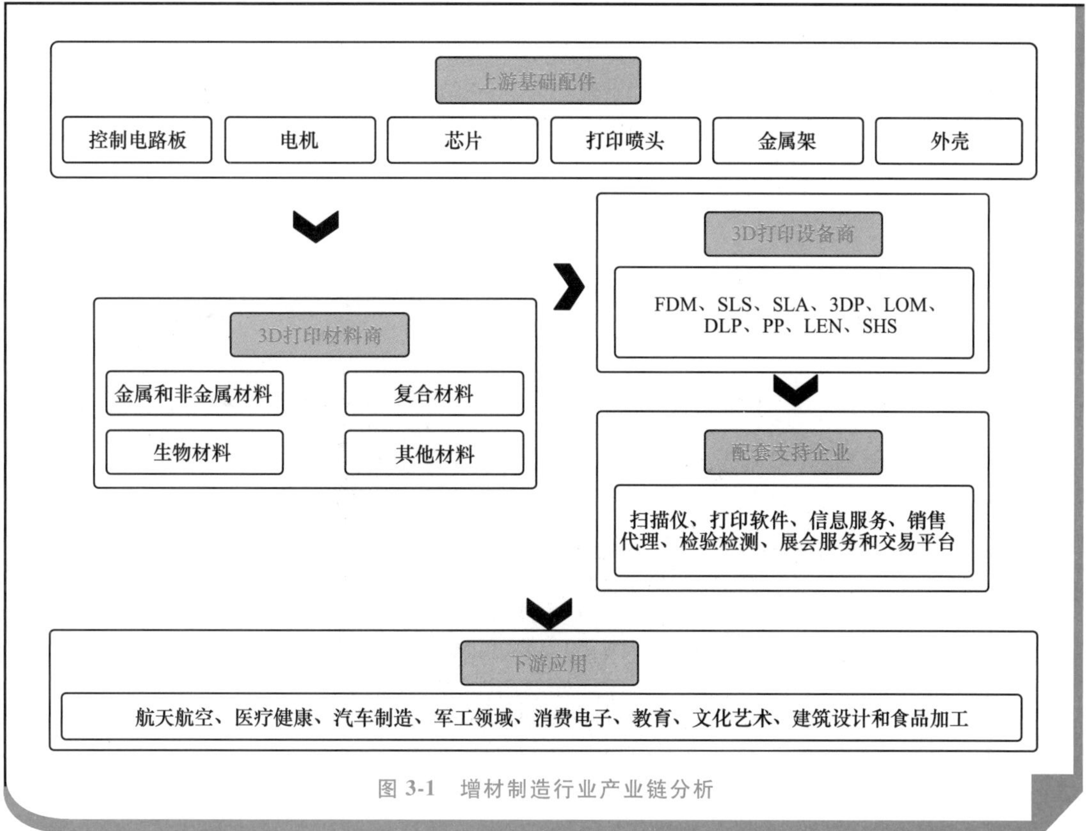

图 3-1　增材制造行业产业链分析

目前，3D 打印材料主要包括工程塑料、光敏树脂、橡胶类材料、金属材料和陶瓷材料等。除此之外，彩色石膏材料、人造骨粉、细胞生物原料以及砂糖等食品材料也在 3D 打印领域得到了应用。

3D 打印经过 40 多年的发展，已经形成了一条完整的产业链。产业链的每个环节都聚集了一批领先企业。从全球范围来看，以 Stratasys、3D Systems 为代表的设备企业在产业链中占据了主导作用，且代表性设备企业通常能够提供材料和打印服务业务，具有较强的话语权。

2. 全球增材制造市场规模

近年来，全球增材制造市场规模逐年增加，2013—2019 年增材制造市场的年均复合增长率为 28.75%，市场规模由 2013 年的 30.3 亿美元增加至 2019 年 138 亿美元（约合人民币 977 亿元）。伴随着增材制造技术的快速发展及其在各个行业领域的渗透，未来五年内全球增材制造行业将继续保持快速增长的势头，如图 3-2 所示。

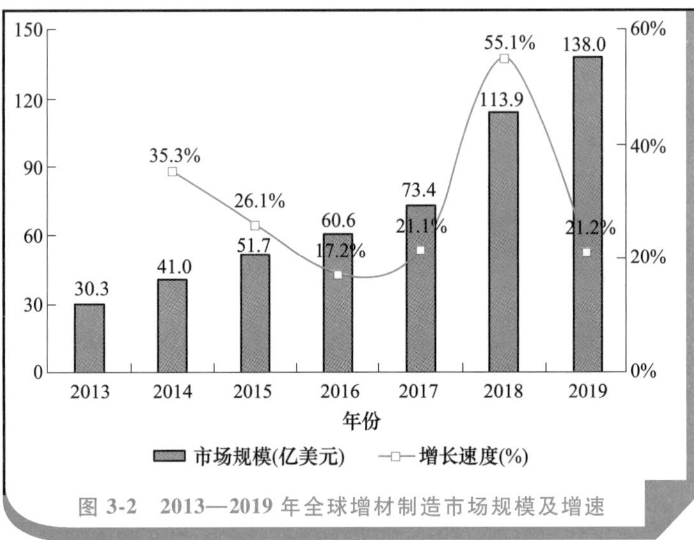

图 3-2 2013—2019 年全球增材制造市场规模及增速

3. 增材制造行业下游应用分析

现阶段，增材制造主要应用于航空航天、医疗、汽车等领域（图 3-3），以制造业和医疗领域应用最为广泛。按照销售规模排名，全球增材制造产值在机械、消费电子、汽车、航空航天、医疗等行业的应用总体呈均衡分布的发展特征，其中机械行业产值占比为 17.5%，为增材制造行业下游的主要应用领域；其次消费电子产值占比为 16.6%，排名第二；汽车下游应用产值占比为 16.1%，仅次于消费电子的应用需求。未来，随着电子和汽车工业的发展，两个领域的产值规模有望进一步提升。

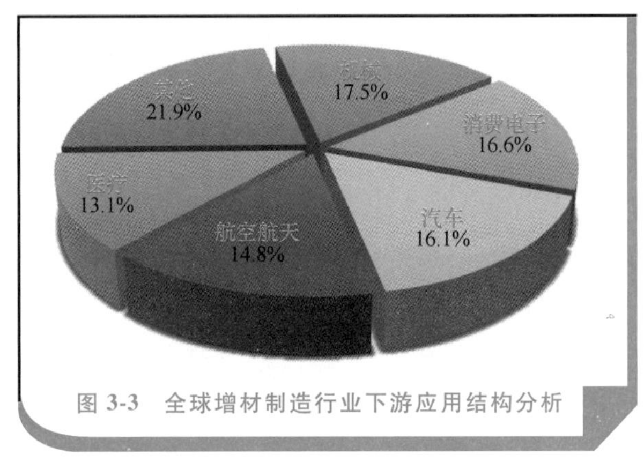

图 3-3 全球增材制造行业下游应用结构分析

二、增材制造技术在行业应用中的优势与劣势

增材制造作为一种加工生产方式，有其优点和缺点，因此在其应用与行业实际生产中也具有非常显著的优势与劣势。

1. 增材制造在行业应用中的优势

（1）提高原材料的利用率 常用增材制造方式有挤出成型、激光烧结成型和光固化成型三种，无论哪种制造方式都不会产生切削废料，因此，它是一种更为低碳环保的生产方式。尤其是对于一些大型、框架类金属零件，与传统的切削、镂空方式相比，3D 打印烧结金属甚至可以使材料用量减少到原来的 10%。伴随增材制造技术的广泛应用，打印材料的发展及其成本的降低，3D 打印这种更环保的"净成形"制造将成为更广泛的加工方式。

（2）减少产品制造的流程，缩短生产周期　在手板行业，根据模型的尺寸以及复杂程度不同，用传统方法制造出一个模型通常需要半天到数天，用增材制造技术则可能将时间缩短为数个小时（具体时间取决于 3D 打印机的性能以及模型的情况）。此外，3D 打印件的净成型使得前期、后期辅助加工工作量大大减少，一定程度上也减少了委外加工的时间和数据泄密风险，尤其适合一些高保密性的行业，如军工、核电领域。

（3）满足更多人的个性化需求　增材制造这种简洁的数字化制造模式无需复杂的工艺、无需庞大的机床、无需众多的人力，直接根据模型数据成型任意形状零件，使生产制造可以向更广的人群范围延伸（图 3-4）。同时按需打印，即时生产，减少了生产，企业的实物库存，企业可以根据客户订单即时定制，满足客户需求。

图 3-4　个性化 3D 打印

（4）开发更多丰富多彩的产品　传统制造技术和工匠制造的产品形状有限，制造形状的能力受限于所使用的工具、设备。增材制造将三维实体变为若干个二维平面，通过对材料处理并逐层叠加进行生产，从根本上突破了这些局限，开辟了巨大的设计空间，可以制作许多复杂的形状结构（图 3-5）。

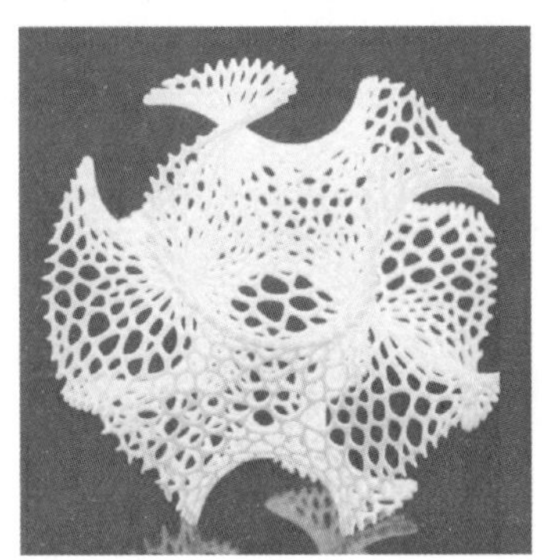

图 3-5　3D 打印复杂的形状结构

2. 增材制造在行业应用中的劣势

（1）难以大批量生产　3D 打印在个性化乃至小规模生产中独具特色，但是在批量生产方面由于成本较高，目前还难以实现。

（2）材料尚未突破　3D 打印其实可以应用到很多场景，但是因受材料性能的限制导致其打印的制件目前难以实际大规模应用。这是一个核心问题，需要产业界更好的协作推进。

(3) 实用性不强 一方面是因为材料原因，另一方面是由于基本成型原理导致其制件的致密性、精度比较差。在生产工艺取得突破前，3D 打印件更多的还是作为样件、试件，作为最终产品实现全部功能的制件较少。

三、主要行业企业

1. 美国 3D Systems 公司

3D Systems 公司由开发出立体光固化技术的查尔斯·胡尔创立。3D Systems 公司的业务较广，除了生产销售 3D 打印机外，还涉及 3D 打印材料和 3D 打印服务等。3D Systems 公司最初只生产专业和工业级 3D 打印机，此后通过并购 Corp 和 Vidar 等企业开始涉足个人 3D 打印机。

公司发展：

1983 年，查尔斯·胡尔制造有史以来首个 3D 打印部件，成功发明立体光固化成型技术。

1986 年，3D Systems 由查尔斯·胡尔共同创建，成为世界首家 3D 打印公司。

1994 年，开始将 3D 粉末打印系统中的彩喷打印系列推向市场。

2006 年，基于扫描的设计软件获得专利认证，将逆向工程工具推向市场。

2013 年，3D Systems 在产品组合中推出了直接金属打印（DMP）系列。

图 3-6 ProJet 860Pro 全彩 3D 打印机

代表性设备——Projet 860Pro

ProJet 860Pro（图 3-6）是 3D Systems 公司推出的高产专业 4 通道 CMYK 全彩 3D 打印机，在所有机型中能够生产大体积、高解析度的模型。这款机型适用于在专业设计和研发过程中制造大量、大型模型。ProJet 860Pro 是大型建筑模型、工业模型、铸件单件比例模型等的理想制造机型。

2. 美国 Stratasys 公司

Stratasys 公司是一家 3D 打印机和 3D 生产系统的制造商，为航空航天、汽车、医疗、消费品和教育等行业提供解决方案，在全球 3D 打印市场中一直处于领先地位。近 30 年来，Stratasys 始终保持创新的步伐，目前已有增材技术专利超过 1200 项。

公司发展：

1989 年，斯科特·克伦普和他的妻子丽莎在明尼苏达州创立了 Stratasys 公司。

1995 年，Stratasys 开发出一种小型 3D 打印机，这种打印机基于与熔融沉积成型（FDM）技术非常相似的挤出系统。

2003 年，Stratasys 的熔融沉积成型（FDM）技术成为了最畅销的快速成型技术。

2007 年，Stratasys 在全球增材制造行业中的市场占有率达到了 44%，连续第六年成为市场的领导者。

2011 年 5 月，Stratasys 宣布收购 Solidscape 公司，该公司是高精度 3D 打印机失蜡铸造技术应用的领导者。

代表性设备——Stratasys F123

Stratasys F123 系列打印机（图 3-7）支持打印从快速低成本概念模型到耐用组件的一切对象。Stratasys F123 系列提供多达 4 种不同的材料选项，以及可轻松去除可溶性支撑材料。在不牺牲精确度、细节和可重复性的前提下，可打印复杂的部件和组件。

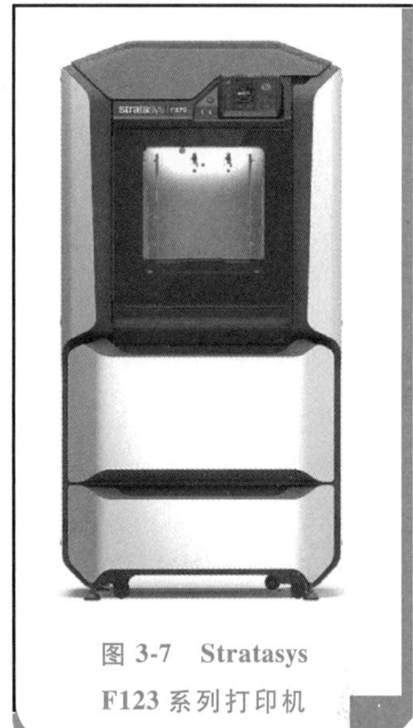

图 3-7　Stratasys F123 系列打印机

3. 德国 EOS 公司

EOS 公司一直致力于选择性激光烧结快速成型系统的研究开发与设备制造工作。在 1990 年 EOS 向宝马公司的研发项目部卖出了第一台 3D 打印设备——STER EOS 400。此后 EOS 发布了自己的 3D 打印系统，并成为欧洲第一家提供高端快速成型系统的企业。经过 25 年的发展，EOS 公司现在已经成为全球技术领先的 SLS 系统 3D 打印机的制造商，并且也为增材制造提供端到端的解决方案。

公司发展：

1989 年，由 Dr. HansLanger 和 Dr. HansSteinbichler 合伙建立了 EOS 公司。

1990 年，EOS 总部迁往 Planegg，德国的宝马汽车公司成为其第一个用户。

1994 年，成为世界上第一个能够提供 SLA 和 SLS 系统的公司，采用 SLS 系统的 EOS INTP 350 设备发布。

1997 年，EOS 和 3D Systems 达成协议，取得全球选择性激光烧结技术应用专利，开始聚焦 SLS 成型设备生产。

2001 年，打印塑料的 SLS 系统 EOS INTP 380 设备发布，打印生物安全聚合物材料的 PA2200 设备发布。

2006 年，SLS 系统开始用于医疗领域，包括牙齿种植、听力辅助、血液离心机等，推出了专用于医疗领域的材料。

2013 年，在上海建立办事处。

代表性设备——EOS M 400

EOS M 400 打印机为金属激光烧结设备（图 3-8），专门针对工业生产环境中的直接制造需求，生产高质量、大尺寸金属部件。设备使用 1kW 的激光，高功率，生产率高，使用两个重涂覆的刀片，使用带有自动清洗功能的循环过滤系统，降低材料过滤的成本。

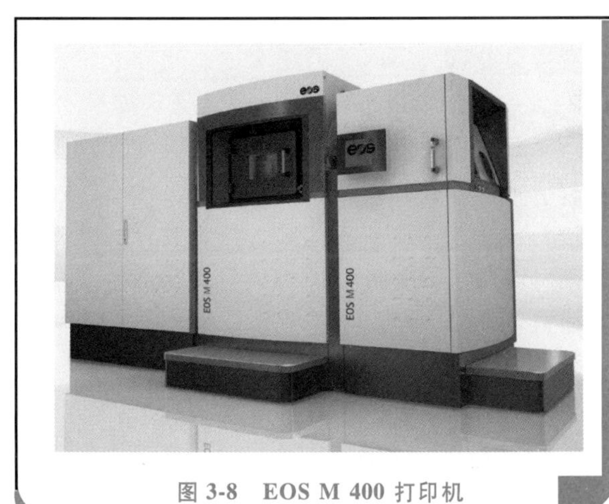

图 3-8　EOS M 400 打印机

4. 杭州先临三维科技股份有限公司

公司成立于 2004 年，致力于建设三维数字化与增材制造技术生态系统，业务领域涵盖三维扫描、3D 打印及材料、三维设计与制造服务以及 3D 网络云平台，在综合实力、销售规模、技术种类、服务保障能力等多方面均处于行业领先水平。

公司发展：

2008 年，公司被杭州市政府评为“杭州市科技创新十佳科技型初创企业”，取得计算机软件著作权证书——先临三维扫描软件 3DScan。

2010 年，取得计算机软件著作权证书——先临半导体激光控制软件。公司开始医疗领域的研发投入，设计开发齿科三维扫描仪。

图 3-9 iSLA-650 Pro 光固化 3D 打印机

2013 年，公司自主研发的 Einstart 系列 3D 打印机正式面市。公司完成了多项软件著作权，申请中及已授权专利 30 多项。

代表性设备——iSLA-650 Pro

iSLA-650 Pro 3D 打印机（图 3-9）是自主研发的光固化 3D 打印机。此款 3D 打印机基于杭州先临三维深厚的增材制造技术应用经验而设计开发，秉承了 SLA 系统 3D 打印机的优点，更加贴近客户。

5. 上海联泰科技股份有限公司

公司成立于 2000 年，是国内较早从事增材制造技术应用的企业之一，参与并见证了中国增材制造产业的主要发展进程。通过十余年来在增材制造行业的努力耕耘，上海联泰科技目前拥有国内立体光固化（SLA）增材制造技术较大份额的工业领域客户群，国内市场占有率超过 60%，在国内增材制造技术应用领域具有广泛的行业影响力。

公司发展：

2001 年，联泰科技第一台采用 He-Cd 气体激光器的快速成型机 RS-350H 投放市场；与全球较大的快速成型软件供应商比利时 Materialise 公司签署全面代理合作。

2002 年，RS 全系列光固化快速成型设备 RS350、RS450、RS600 投放市场，与全球著名的光敏树脂供应商美国 DSM Somos 公司签署全面代理合作。

3D 打印鞋模

2003 年，获上海市高新技术企业资质。

2008 年，向成都飞机研究所交付第一台 RS8000 设备。

2014 年，引入外部投资，建立研发部门，光固化快速成型（SLA）设备市场份额国内领先。

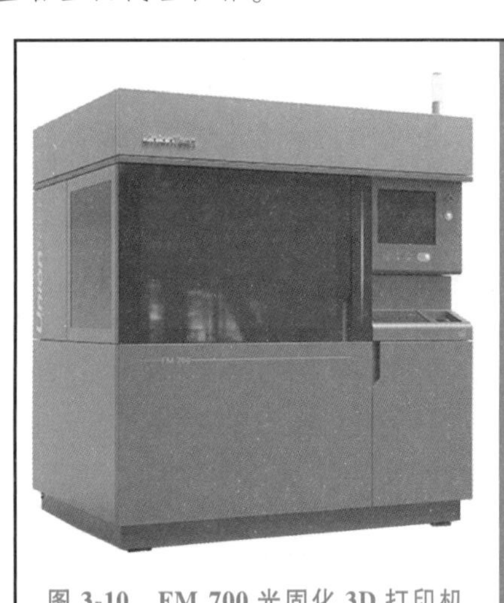
图 3-10 FM 700 光固化 3D 打印机

代表性设备——FM 700 光固化 3D 打印机

FM 700（图 3-10）是用于打印鞋模的 3D 打印机，该打印机精细度高，可还原 0.06mm 细节的鞋底、侧花纹。

6. 湖南华曙高科技股份有限责任公司

公司成立于 2009 年，专门从事不同 3D 打印材料

的研究，包括塑胶、金属、陶瓷等。湖南华曙高科已经成功研制出中国首台高端选择性激光烧结（SLS）尼龙3D打印机，成为继美国3D Systems公司、德国EOS公司后，世界上第三家该设备制造商。同时，也成功研制出了可用于3D打印的尼龙材料，成为继德国Evonik公司后，世界上第二家该类材料制造商。除了生产设备和材料外，湖南华曙高科还从事终端产品的加工服务，已经形成了选择性激光烧结技术（SLS）完整的产业链。

公司发展：

2011年12月，公司与美国ALM正式签订全球SLS粉末材料代理销售协议。

2012年3月，选择性激光烧结设备FS401β机研制成功。

2012年3月，用于SLS系统的尼龙粉末材料（PA3-C）研制成功，成为除德国EVONIK外，世界上第二家尼龙粉末材料制造商。

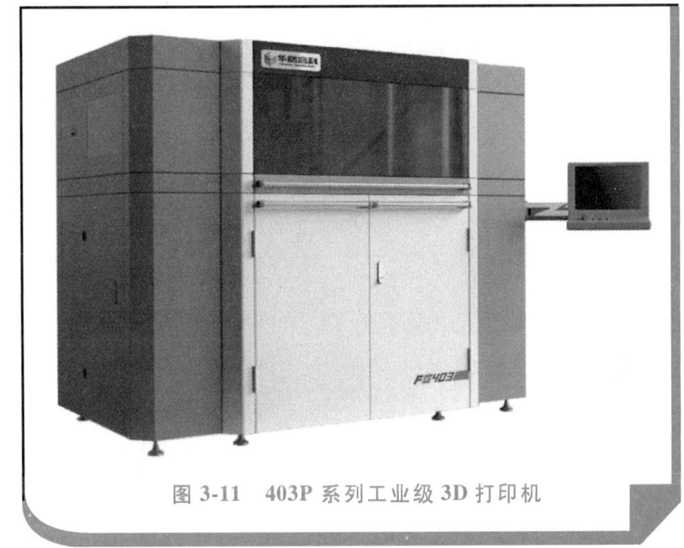

图 3-11　403P 系列工业级 3D 打印机

代表性设备——403P系列工业级3D打印机

403P系列工业级3D打印机（图3-11）主要有FS403P工业级3D打印机、HS403P工业级3D打印机、SS403P工业级3D打印机和HT403P工业级3D打印机，该系列基于自主研发的开源软件和硬件，能够满足汽车、航空航天等行业对于大尺寸、轻量化、耐高温零部件的需求。与前一代402P系列相比，403P系列具有更高的打印精度，并提高了打印效率。

四、增材制造技术应用趋势

增材制造技术目前已经步入了飞速发展的时代，以增材制造技术为代表的快速成型技术被看作是引发新一轮技术变革的关键要素。

现阶段增材制造主要是以聚合物高分子材料为主，也就是打印制品多为塑料件，随着材料技术的突破以及耗材成本的降低，金属增材制造会扮演越来越重要的角色。目前比较常用的3D打印金属材料有铝氧化物、不锈钢、钛合金等，未来这一市场将会实现更快速增长。金属增材制造多见于航天航空和汽车行业的应用，并且已经从最初的原型产品，迈入目前可以直接制作出最终成品的阶段。

此外，增材制造会进入每一户寻常家庭。一台体积小巧的3D打印机，不需高昂的费用，只是简单的操作，使用者就可以在家里制作出创意十足的家居用品，或是对一些零配件进行修复，并给生活带来极大的便利。

除了现有增材制造技术的发展与延伸，在新的领域也迸发了一些全新的应用。

1. 生物增材制造

由于人体复杂的器官结构及功能的多样性，细胞与生物材料的特殊性，材料学、制造学、生物学等多交叉学科的合作及多喷头生物增材制造设备（图3-12）的应用，必将成为学科未来发展的趋势与主流，也是实现复杂器官制造的核心所在。在不远的将来，随着研究的不断深入、各学科的整合与突破、诸多科学问题的逐一突破，生物增材制造（图 3-13）将会成为一种简单、容易、迅速的医疗技术，也将成为临床最为准确、快捷、有效的修复手段，最终高效应用于临床，造福于患者。

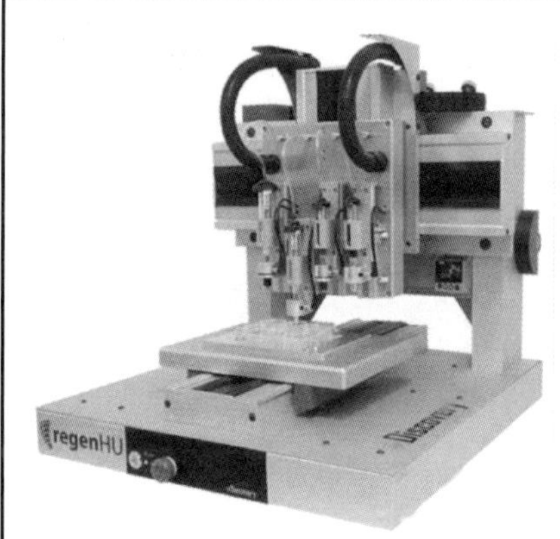

图 3-12 生物材料 3D 打印机

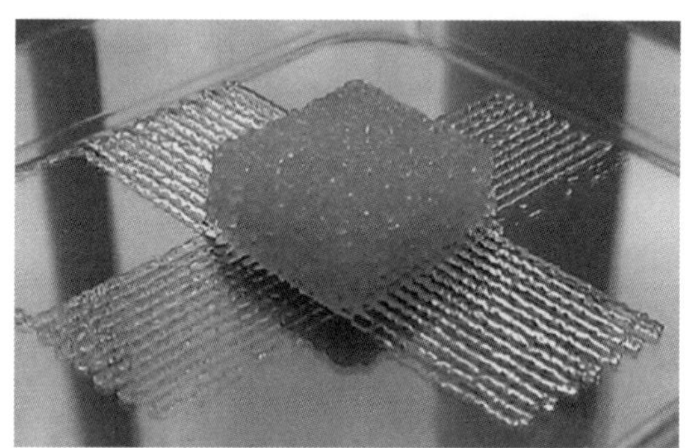

图 3-13 3D 打印丝蛋白材料

2. 电子电路增材制造

未来可以通过增材制造技术快速设计并制作出逻辑和存储器单片集成电路板（图 3-14），且无需人工干预就可将高阶的设计注释转换为设计布局。在某些情况下，这些芯片可以被合并在开源环境下合作开发出的系统之中，并使用增材制造技术进行制造。硬件的发展将促进行业采用全新的设计方法，可以帮助工程师大量节省开发复杂芯片的时间。此外，增材制造的更薄、更高强度的电子电路也十分适合用于智能穿戴领域。

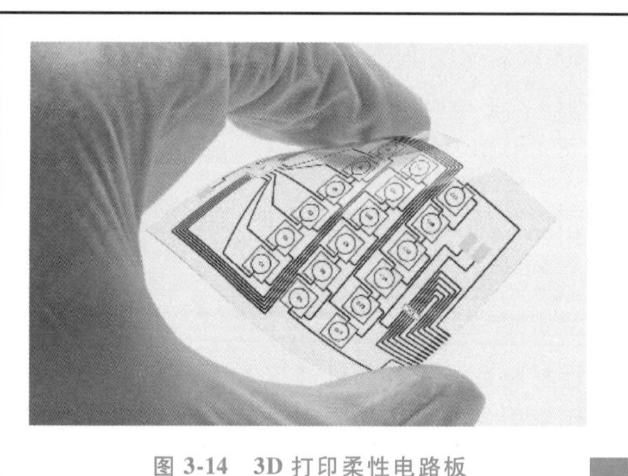

图 3-14 3D 打印柔性电路板

思考与练习

1. 增材制造行业产业链由哪些环节构成？
2. 增材制造技术在行业应用中有哪些优势和劣势？
3. 查阅资料，进一步列举国外知名增材制造公司及其技术、产品特色。
4. 查阅资料，进一步列举国内知名增材制造公司及其技术、产品特色。

第二篇 专 业 篇

第四章

分门别类——增材制造的主要类型

学习目标

1. 掌握增材制造成型方法的分类。
2. 了解熔融沉积成型、光敏树脂光固化成型、粉末激光烧结成型等主要增材制造技术的成型原理。
3. 熟悉几种主要增材制造技术的特点。

一、增材制造成型方法概述

增材制造成型技术综合了材料、机械、控制及软件等多学科知识，属于一种多学科交叉的先进制造技术。美国材料与试验协会（ASTM）增材制造技术委员会将增材制造成型方法分为七大类（表4-1）。它们各自具有不同的成型工艺及特点，因此可以分别应用于模型制造、零部件的直接制造、受损件修复等不同的场合。

表 4-1 增材制造工艺类型及特点

工艺类型	材 料	用 途
容器内光固化	光敏聚合物	模型制造、零部件直接制造
材料喷射	聚合物	模型制造、零部件直接制造
黏结剂喷射	聚合物、砂、陶瓷、金属	模型制造
材料挤压成型	聚合物	模型制造、零部件直接制造
粉末床烧结/熔化	聚合物、砂、陶瓷、金属	模型制造、零部件直接制造
片层压成型	纸、金属、陶瓷	模型制造、零部件直接制造
定向能量沉积	金属	受损件修复、零部件直接制造

根据采用的材料形式和工艺实现方法的不同，目前广泛应用且较为成熟的典型增材制造

技术有以下五大类：

1）粉末/丝状材料高能束烧结或熔化成型，如选择性激光烧结成型（SLS）、选择性激光熔融成型（SLM）、激光近净成型（LENS）、电子束熔化（EBM）等。

2）丝材挤出热熔成型，如熔融沉积成型（FDM）等。

3）液态树脂光固化成型，如光固化成型（SLA）等。

4）液体喷印成型，如立体喷印（3DP）等。

5）板材黏结或焊接成型，如分层实体成型（LOM）等。

本章将根据实际生产情况，选择几种应用比较广泛的增材制造技术进行详细介绍。

二、熔融沉积成型（FDM）

熔融沉积成型（Fused Deposition Modeling，FDM），是快速成型中使用最为广泛的一种方式，也是民用领域最常用的一种成型类型。

1. 熔融沉积成型原理

熔融沉积成型原理是将丝材通过加热的喷头熔融并挤出，喷头沿零件的每一截面轮廓准确运动，挤出半流动的热塑材料沉积固化成精确的实际部件薄层，覆盖于已成型的零件上端，并在 0.1s 内迅速凝固，每完成一层成型，喷头便上升一层高度（或工作台便下降一层高度），喷头再进行下一层截面的扫描喷丝，如此反复逐层沉积，直至最后逐层堆积出一个实体模型或零件，如图 4-1 所示。

FDM 成型中每层都是在上一层上堆积而成，上一层对当前层起到支撑作用。随着打印高度的增加，当前层轮廓的面积和形状若发生较大变化，上层轮廓可能无法很好地起到支撑作用，这就需要设置一些辅助结构——支撑部分，以保证制件顺利成型（图 4-2）。支撑部分可以使用和成型部分相同的材料，也可以使用特性不同的专门材料，无论使用哪一种材料，均需在打印完成后去除多余的支撑部分。

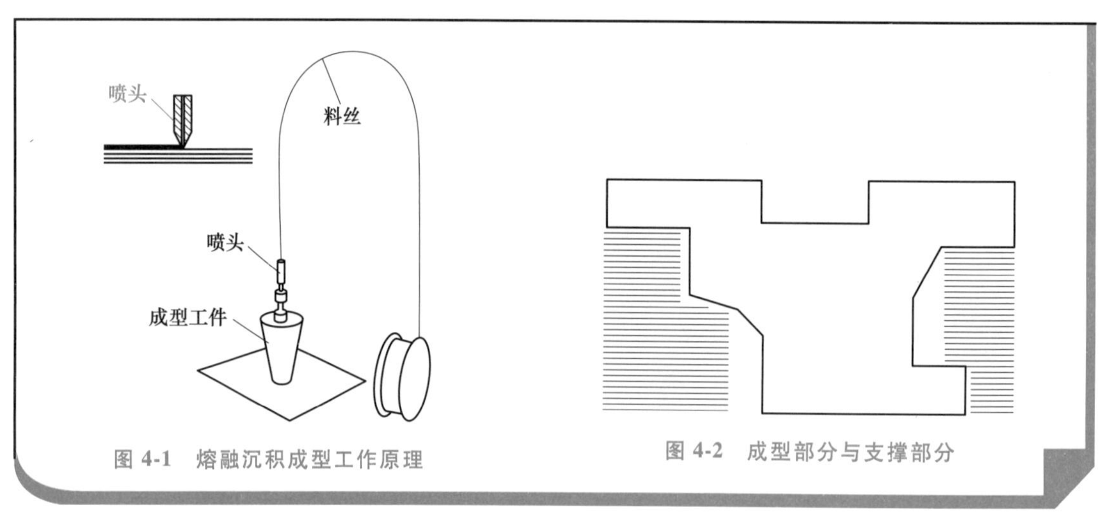

图 4-1 熔融沉积成型工作原理

图 4-2 成型部分与支撑部分

2. 熔融沉积成型设备

熔融沉积成型设备按成型规格和适用材料种类可分为桌面级（图 4-3）、办公级（图 4-4）和工业级 3D 打印机（图 4-5），而其中在民用领域应用最广泛的桌面级设备还可分为成品设备和 DIY 组装设备（图 4-6）。无论哪种规格的设备，都主要由喷头、送丝机构、运动机构、工作台和加热区域 5 部分构成。

图 4-3　桌面级 FDM 3D 打印机

图 4-4　办公级 FDM 3D 打印机

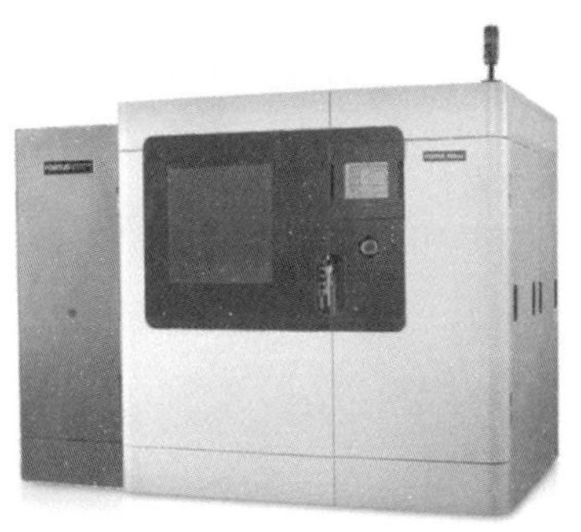

图 4-5　工业级 FDM 3D 打印机

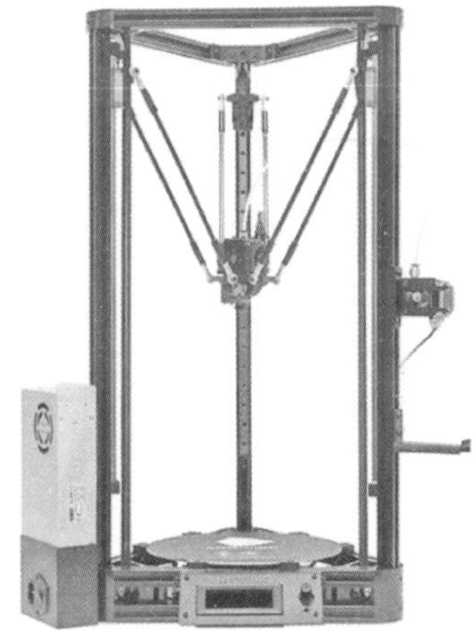

图 4-6　DIY 制 FDM 3D 打印机

3. 熔融沉积成型材料

FDM 技术可以打印的材料有很多，其中最常用的工程塑料有 ABS 和 PLA（Polylactic Acid，称为聚乳酸），FDM 可使用此类工业级热塑性材料丝材（图 4-7）作为成型材料逐层打印，成型出的制件具有耐高温、耐腐蚀以及优良的力学性能，可用于制造概念模型、功能模型，甚至直接制造零部件和生产工具。近年来，FDM 材料有了极大发展，如柔性材料 TPE / TPU、木质感材料，甚至金属质感材料、碳纤维材料也可以使用 FDM

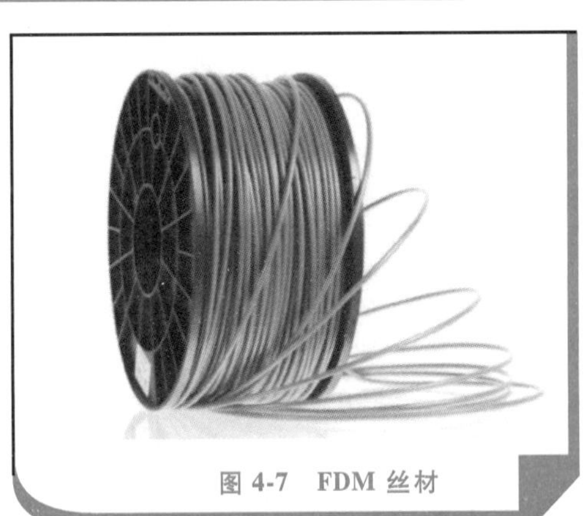

图 4-7　FDM 丝材

的方式成型。

目前在桌面级设备中，PLA 是常使用的材料。它是一种可生物降解的热塑性塑料，来源于玉米、甜菜、木薯和甘蔗这类可再生资源，因此它比其他材料更加环保；此外，PLA 在打印时不会产生很难闻的气味，所以它相对安全，适合在家里或者教学中使用；并且，这种材料的冷却收缩没有 ABS 那么强烈，所以即使打印机没有配备加热平台也能成功完成打印。

4. 熔融沉积成型特点

熔融沉积成型工艺适合于产品的概念建模及形状和功能测试，中等复杂程度的中小原型产品，不适合制造大型零件，其特点见表 4-2。

表 4-2 熔融沉积成型（FDM）特点

优 点	缺 点
成本低 相比较而言，FDM 技术无须激光器这类高功率部件，因而设备费用低；此外，原材料的利用效率高且没有毒气或化学物质的污染，使得成型成本大大降低	成型精度较低 由于技术原理以及受最小层厚限制，制件的尺寸精度比较差，并且表面有较明显的条纹
去除支撑部分方便 FDM 技术可采用水溶性支撑材料，使得去除支撑结构简单易行，可通过浸泡非常容易地去除一些复杂的内腔、中空零件、一次成型的装配结构件中的支撑部分	复杂结构件不易制造 由于制件中的悬臂部分需要设计、制作支撑结构，因此复杂结构的制件会难以成型，尤其是对于单喷头的设备
适用材料种类多 可选用各种色彩的 ABS、PLA、PC、PPS 工程塑料以及柔性材料、木质感材料、金属质感材料、碳纤维材料等多种类型材料	成型速度相对较慢 FDM 工艺适合于中等复杂程度的中小原型产品制作，不适合制造大型零件
设备使用方便 FDM 成型原理简单，设备的日常维护和简单维修完全可以由使用者自行完成；同时，FDM 技术无毒性且不产生异味、粉尘、噪声等污染，不用花钱建立与维护专用场地，适合于办公室设计环境使用	
制件力学性能好 FDM 成型的制件相对具备较高的强度与优良的韧性，可以组合装配，可以进行功能性测试	

5. 熔融沉积成型工艺参数

FDM 的关键工艺参数有喷头温度、层厚、材料挤出速度和喷头进给速度。喷头温度最好是刚好在熔点之上（比熔点高 1℃左右），层厚的大小则对制件的表面质量和成型速度影响显著，材料挤出速度与喷头进给速度的配合会大大影响制件的黏结强度。工艺参数选择得合适与否，对最后的打印结果影响巨大，因此在成型时，需要根据制件要求选择恰当的工艺参数，才能保证高效率高质量地打印出满足使用要求的制件。

三、光敏树脂光固化成型（SLA/DLP/PolyJet）

光固化立体成型（Stereo Lithography Apparatus，SLA）、数字光处理（Digital Light Processing，DLP）和聚合物喷射（PolyJet），这三种技术共同的基本原理是采用光照使得光敏树脂逐层固化从而最终得到所需制件，但在具体实现方式上有所差别。

1. 光敏树脂光固化成型基本原理

1）光固化立体成型（SLA）是最早实用化的快速成型技术，采用液态光敏树脂原料，其工作原理如图 4-8 所示。其工艺过程：先利用离散程序将模型进行切片处理，生成扫描路径，产生的数控指令；随后，激光光束通过数控装置控制扫描器，按设计的扫描路径照射到液态光敏树脂表面，使表面特定区域内的一层树脂固化，当一层加工完毕后，就生成零件的一个截面；然后，升降台下降一定距离，固化层上覆盖另一层液态树脂，再进行第二层扫描，第二固化层牢固地黏结在前一固化层上，这样一层层叠加而成三维实体模型；最后，将原型从树脂中取出，按需进行固化、抛光或喷漆等处理即得到要求的产品。

2）数字光处理器（DLP）成型技术和 SLA 技术有些相似，不过它是使用高分辨率的数字光处理器投影仪来固化液态光聚合物，逐层进行光固化，固化速度比采用 SLA 立体平版印刷技术时的速度更快（图 4-9）。

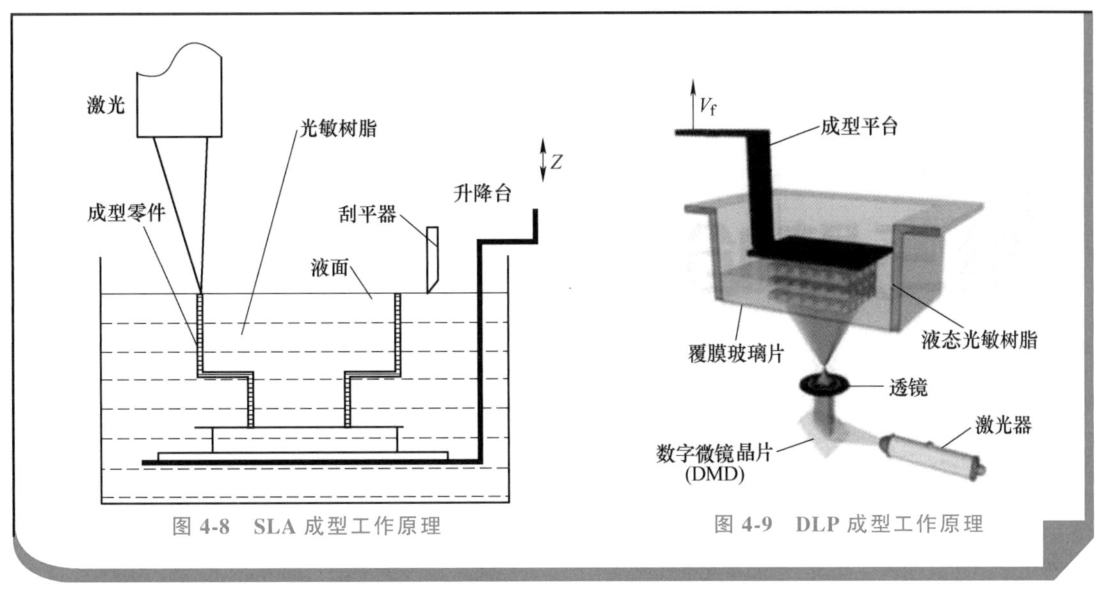

图 4-8　SLA 成型工作原理　　图 4-9　DLP 成型工作原理

3）聚合物喷射（PolyJet）技术的成型原理与三维立体喷印（3DP）技术的有些类似，但喷射的不是黏结剂而是树脂材料。不同企业对 PolyJet 技术的称呼不同，如 3D Systems 公司将其称为 MJP，但其工艺原理是一致的。PolyJet 技术采用的阵列式喷头，根据模型切片数据，几百至数千个阵列式喷头逐层喷射液态光敏树脂到工作台面；工作时喷头沿着 *XY* 平面运动，光敏树脂材料被喷射到工作台上后，滚轮把喷射的光敏树脂材料表面处理平整，利用紫外光灯对光敏树脂材料进行固化；完成一层的喷射打印和固化后，设备内置的工作台会很精准地下降一个成型层厚，喷头继续喷射光敏树脂材料进行下一层的打印，反复执行该动作直到整个工件制作完成（图 4-10）。PolyJet 成型的支撑材料和模型材料不同，工件成型的过程中会使用两种以上类型的光敏树脂材料，支撑材料可以在成型后将之剥离。

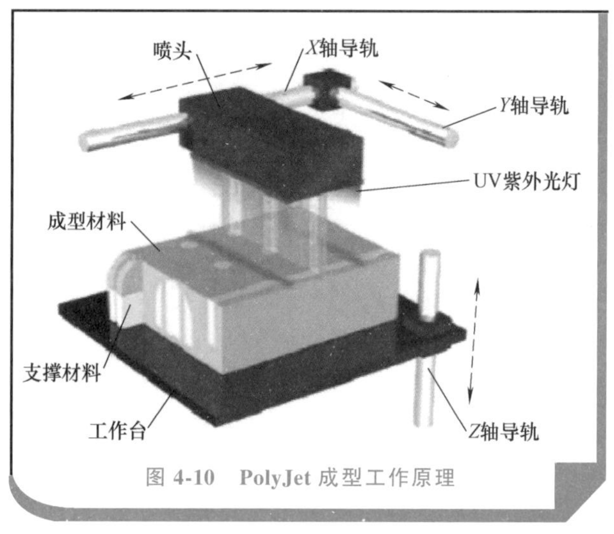

图 4-10 PolyJet 成型工作原理

2. 光敏树脂光固化成型设备

虽然同为光固化成型，但 SLA、DLP 与 PolyJet 三者的工艺原理各不相同，因此它们对应的设备结构也不一样。三者共性的地方在于它们都以光敏树脂作为耗材，同时也都具有激光发射或光照系统。图 4-11～图 4-13 所示分别为 SLA、DLP、PolyJet 类型成型设备。

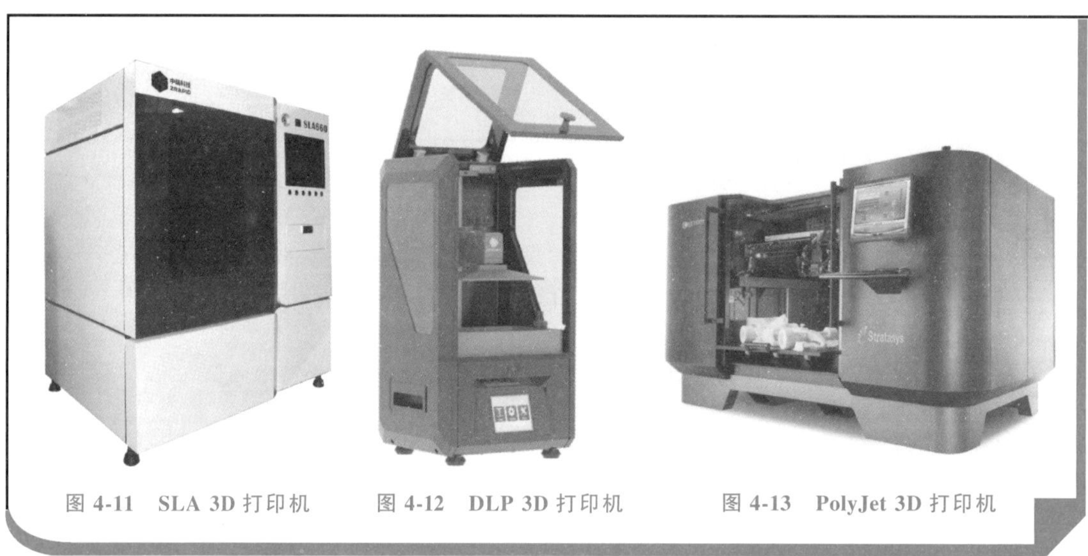
图 4-11 SLA 3D 打印机　图 4-12 DLP 3D 打印机　图 4-13 PolyJet 3D 打印机

3. 光敏树脂光固化成型材料

无论是 SLA、DLP 还是 PolyJet 工艺，目前使用的打印耗材均为液态光敏树脂（图 4-14）。光敏树脂主要由低聚物、光引发剂、稀释剂组成，受到紫外光照射时，其内部高分子会结合成长的交联聚合物高分子，聚合物由胶质树脂转变成坚硬物质。采用 SLA 工艺时，根据最终产品的需求，还可以在原料中通过加入其他成分，得到性能更优异的制件。

图 4-14 液态光敏树脂

4. 光敏树脂光固化成型特点

该工艺适合于对产品精度要求高的场合（例如翻模等），但制件力学性能比较差，不适合作为功能件使用，其特点见表 4-3。

表 4-3　光敏树脂光固化成型（SLA/DLP/PolyJet）特点

优　点	缺　点
技术成熟可靠 光固化成型是最早出现的快速原型制造工艺，经过了时间的检验，成熟度高	需要支撑结构 由于光敏树脂材料在固化时容易产生翘曲变形，故而需要人工设计合理的支撑结构；此外，支撑结构需要未完全固化时去除，否则容易破坏成型件
产品精度高 光固化 3D 打印件是尺寸精度最高的一种，可以创建具有极高质量、精细特征（薄壁，尖角等）和复杂形状的模型。PolyJet 技术甚至可以把层厚做到 0.016mm	设备、耗材昂贵 光固化 3D 打印设备造价高昂，而且使用和维护成本较高；同时，光敏树脂材料价格也比较贵，且不能长时间保存
表面质量好 所成型的制件表面比较光滑，适合作为精细零件；同时，很多情况下也免去了进行表面打磨的后处理步骤	工作环境差 光敏树脂有轻微毒性，对环境有污染，部分人的皮肤也会对其有过敏反应。此外，光固化设备还需要专门安置在黄光灯（无蓝光）房间内
制件柔韧性好 光敏树脂固化成型的制件质地可以通过调节光照强度控制其成型后的软硬程度，这样便可获取最佳柔韧性的 3D 打印制件	制件综合物理性能差 由于材料是树脂，工作温度不能过高；此外，成型件易吸湿膨胀，耐蚀性较差，可加工性一般

5. 光敏树脂光固化成型的工艺参数

光固化 3D 打印工艺参数设置的关键是控制单位面积树脂在单位时间内受到的光照量。以 SLA 设备为例，其主要工艺参数有光斑大小、激光功率、扫描速度、扫描间距等，当增大激光功率时，固化效果会变好；若加快扫描速度，则会在提升工作效率的同时降低单位面积树脂的光照射量。因此，如何合理设置激光或光照射参数，确保满足制件精度、强度要求，同时兼顾生产率，这是光固化类 3D 打印机使用时非常关键的一点。

四、选择性激光烧结/熔融成型（SLS/SLM）

选择性激光烧结成型（Selective Laser Sintering，SLS）、选择性激光熔融成型（Selective Laser Melting，SLM）这两种技术都是使用激光照射粉末材料，使粉材按既定形状固化成型的，成型原理非常相似。但由于激光频率的差异，两者在制件最终固化成型的原理，乃至制件品质又有着根本的不同。

1. 选择性激光烧结/熔融成型的基本原理

选择性激光烧结（SLS）使用的是粉末状材料，激光器在计算机的操控下对粉末进行扫描照射而实现材料的烧结黏合、层层堆积成型。SLS 成型工艺原理：先用压辊将一层粉末平铺到已成型工件的上表面，计算机系统操控激光束按照该层截面轮廓在粉层上进行扫描照射使粉末的温度升至熔点，从而进行烧结，并与下面已成型的部分实现黏合。当一层截面烧结完后工作台将下降一个层厚，这时压辊又会均匀地在上面铺上一层粉末并开始新一层截面的烧结，如此反复操作直至工件完全成型。当工件完全成型并完全冷却后，工作台将上升至原来的高度，此时需要把工件取出，用刷子或压缩空气把模型表层的粉末去掉，如图 4-15 所示。

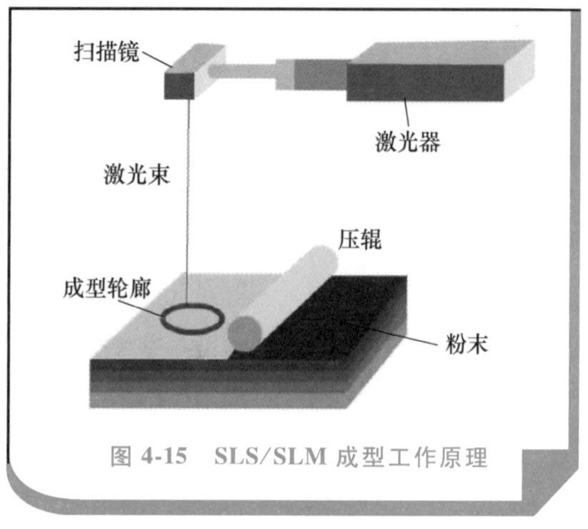

图 4-15 SLS/SLM 成型工作原理

选择性激光熔融成型（SLM）技术是指利用金属粉末在激光束的热作用下完全熔化，再经冷却凝固成型的技术。

SLM 工艺与 SLS 工艺的工作原理图基本相同，但两者在成型本质上其实存在很大不同。SLS 工艺中的激光器功率较低，所使用的材料除了主体金属粉末外，还需要添加一定比例的黏结剂粉末（熔点较低的金属粉末或有机树脂等），成型时激光仅熔融黏结剂粉末，从而将制件烧结成型；而 SLM 工艺中的激光功率非常高，可以使粉末材料完全融化，所以一般使用纯金属粉末。通常，SLS 制件在力学性能与成型精度上都要比 SLM 制件差一些。

此外，采用 SLM 技术时一般需要添加支撑结构，支撑结构的主要作用如下：

1）承接下一层未成型粉末层，防止激光扫描到过厚的金属粉末层而发生塌陷。

2）粉末受热熔化再冷却的过程中产生内应力，易导致零件发生翘曲，支撑结构连接已成型部分与未成型部分，可有效抑制这种收缩，减小成型过程中的制件变形量。

2. 选择性激光烧结/熔融成型设备

从设备结构上看，SLS 设备（图 4-16）与 SLM 设备（图 4-17）的结构基本相同，都具有储粉仓、成型仓、激光器等基本结构。由于成型原理的不同，SLM 设备的激光模块功率会比 SLS 设备的大很多。以 EOS 公司的设备为例，SLS 设备的激光发射功率通常为 50~70W，而 SLM 设备的激光发射功率都在 200W 以上，多为 400W。

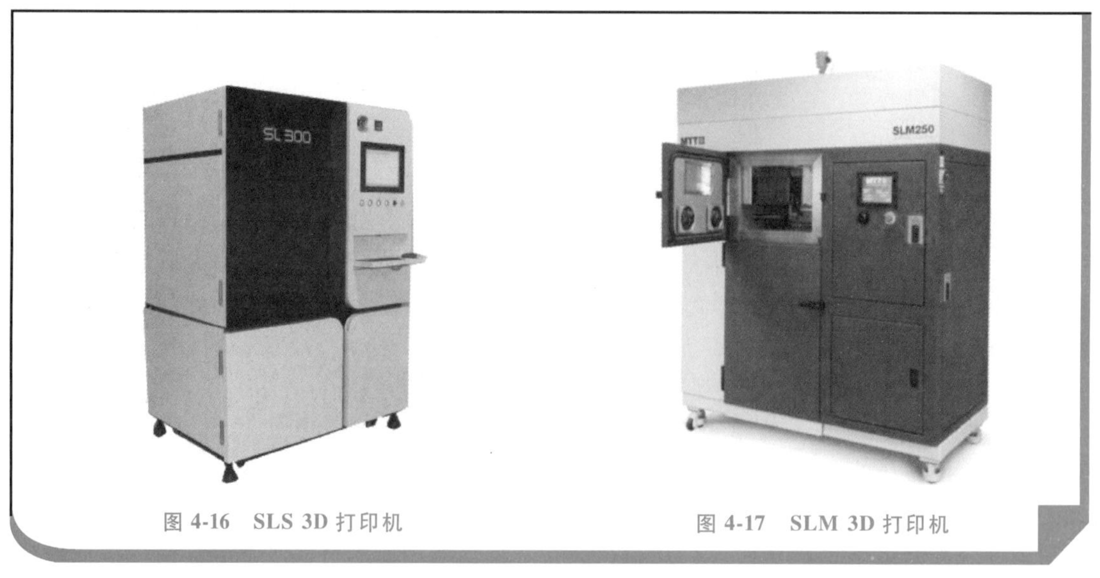

图 4-16 SLS 3D 打印机

图 4-17 SLM 3D 打印机

3. 选择性激光烧结/熔融成型材料

SLS与SLM工艺均采用粉末材料（图4-18）打印，不仅能够成型塑料制件，还能成型陶瓷、石蜡材质的制件，特别是可以直接成型金属零件。SLS与SLM工艺是目前唯一可以直接、可靠地制造金属制件的增材制造工艺类型，具备很强的实用性。粉末材料具有制备容易、类别广泛、制造过程简单、材料利用率高等特点。

图4-18 粉末材料

SLS工艺使用的粉末材料除主体（金属）粉末外，还包含一定比例的黏结剂粉末，如环氧树脂和低熔点合金；SLM工艺使用的粉末一般为纯金属粉末。

4. 选择性激光烧结/熔融成型特点

选择性激光烧结/熔融成型工艺的最大优点在于其可成型材料种类的独特性和多样性。例如，可以成型韧性非常出色的尼龙材料，还可以成型综合力学性能远远优于塑料的许多金属材料。因此，SLS/SLM工艺在医疗、航空航天等高精领域有着广泛的应用，其特点见表4-4。

表4-4 选择性激光烧结/熔融成型（SLS/SLM）特点

优点	缺点
可用材料种类多 从原理上，可使用加热时黏度降低的任何粉末材料，也可在颗粒表面涂覆黏结剂涂层，因而可以成型多种材料以适应不同的需求	加工时间长、操作烦琐 打印前需要一定的材料预热和惰性气体填充时间；打印完成后还要经过几小时冷却，才能将制件从粉末中取出，总体上加工时间比较长
材料利用率高 一方面，仓内未成型的粉末经过滤后几乎全部可以循环使用；另一方面，可以很大程度做到无支撑、少支撑结构，因此材料利用率非常高	制件表面粗糙 制件表面呈粉粒状，颗粒感很强，表面质量不高，制件尺寸精度也不是很高。如果对表面质量要求很高，还需进一步后处理
制件性能好 可以使用许多性能好的材料成型，尤其可以制作金属制件，其力学性能优于铸件，接近于锻件	工作环境要求高 打印材料为小颗粒粉末，若空气中飘浮粉末达到一定浓度有爆燃风险，粉末被操作人员吸入危害也很大。需要工作场地具备良好的通风条件，且设备操作人员需严格佩戴好口罩、防护镜、手套等劳保防护用品
无须支撑结构（仅SLS） 对于选择性激光烧结工艺，在叠层过程出现的悬空层可直接由未烧结的粉末来支撑，即实现自支撑，有利于减少材料成本以及后处理时间	设备制造与维护成本高 由于使用了大功率激光器，除了本身的设备成本，还需要很多辅助保护工艺，整体技术难度大，设备的制造和维护成本相较于其他增材制造工艺要高许多

5. 选择性激光烧结、熔融成型的工艺参数

影响SLS/SLM成型件质量的因素有很多，如设备精度误差、粉末颗粒、激光功率、扫

描方式、扫描速度、扫描间距、环境温度等，其中激光工艺参数的选择极为关键。例如，为了加快工作效率，可增加激光功率与扫描速度，然而增加激光功率会使尺寸偏差向着正方向增大；而加快扫描速度，会使尺寸偏差向负方向减小，并且导致制件强度减小。因此，合理设置激光参数是 SLS/SLM 成型工艺参数设置中的核心内容。

五、其他快速成型方法（3DP/LOM）

除上述主流增材制造成型工艺外，还有一些其他快速成型工艺类型，它们虽不像 FDM、SLA、SLS 这类技术那样应用广泛，但却不乏自身特点，在一些特定的场景下也有着自身独特的应用。以下简单介绍其中比较有特点的 3DP 和 LOM 两种成型工艺。

1. 三维立体喷印（3DP）技术

三维立体喷印（3DP）技术是一种利用微滴喷射技术的增材制造方法，工作原理类似于普通的喷墨打印机。喷头在计算机的控制下，按照当前分层截面的信息，在事先铺好的一层粉末材料上，有选择地喷射黏结剂，使部分粉末黏结，形成一层截面薄层；一层打印完成后，将已打印的粉末平面下降一定高度并在上面铺上一层粉末，准备下一截面图形的打印（图 4-19）。如此循环，逐层黏结堆积，直到整个模型的所有截面图形全部打印完成，就形成了三维实体模型。由于采用了类似平面喷墨打印的技术，3DP 设备的打印头可以直接喷射带有颜料的黏结剂，因此可以直接制作出彩色的 3D 打印制件。

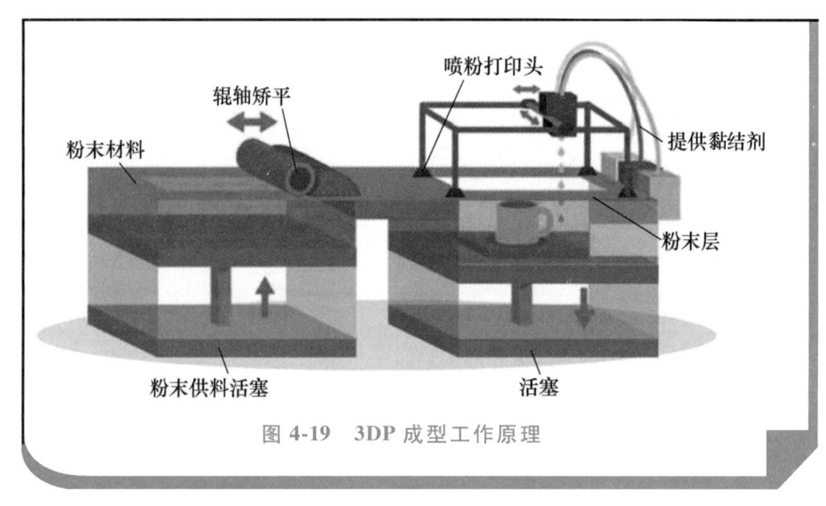

图 4-19　3DP 成型工作原理

3DP 工艺中的黏结剂非常形象地被称之为“墨水”。该技术可打印的“墨水”多种多样，可黏结材料种类也很多，表 4-5 中列举了一些常用的黏结剂与被黏结材料。相比于其他增材制造技术，3DP 工艺可选择材料的范围十分广泛。

表 4-5　3DP 工艺常用的黏结剂与被粘结材料

黏结剂	被黏结材料
纳米银墨水	石膏粉
纳米金墨水	陶瓷粉
纳米铜墨水	砂
不锈钢墨水	金属粉
石墨烯墨水	碳纤维粉
陶瓷墨水	尼龙粉
聚合物墨水	PMMA 粉
生物墨水	石墨
绝缘墨水	陶土

相比于其他增材制造技术，3DP 技术具有以下特点：

1）能直接实现有渐变色的全彩色 3D 打印，无须后期上色。

2）成型过程不需要支撑结构，制件上去除多余粉末比较方便，特别适合做内腔复杂的造型。

3）成型速度快，耗材价格也比较低廉。

4）制件的力学性能差，强度、韧性相对较低，通常只能做样品展示，不适用于功能性试验。

2. 分层实体制造（LOM）技术

分层实体制造（LOM）的工作原理是根据三维 CAD 模型每个截面的轮廓线，在计算机控制下，发出控制激光切割系统的指令，使切割头做水平方向的移动；供料机构将表面涂有热熔胶的纸材（如涂覆纸、涂覆陶瓷箔、金属箔、塑料箔材）一段段地送至工作台的上方；激光切割系统按照计算机提取的横截面轮廓用二氧化碳激光束对纸材沿轮廓线将工作台上的纸切割出轮廓线，并将纸的无轮廓区切割成小碎片，由热压机构将一层层纸压紧并黏合在一起；可升降工作台支撑正在成型的工件，并在每层成型之后，降低一个纸厚，以便送进、黏合和切割新的一层纸；最后形成由许多小废料块包围的制件。取出后，将多余的废料小块剔除，即可获得最终的 3D 打印制件（图 4-20）。

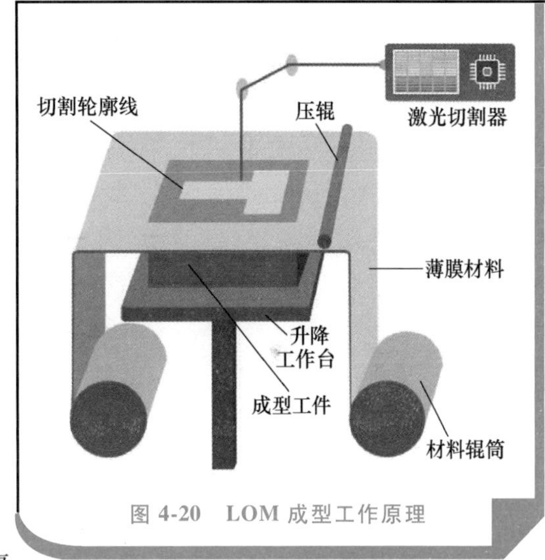

图 4-20 LOM 成型工作原理

LOM 技术中使用的耗材是具有热黏合能力的基体薄片材料。基体材料的要求是厚薄均匀、力学性能良好并与黏结剂有较好的涂覆性和黏合能力。对黏结剂性能的基本要求是在成型过程中，可通过热压装置的作用使得材料逐层粘接。LOM 常用材料有纸、金属箔、塑料膜、陶瓷膜等，其中最常用的是涂有热敏胶的纤维纸。

相比于其他增材制造技术，LOM 技术具有以下特点：

1）成型速度快。由于激光束沿物体的轮廓切割，而非整个截面扫描，因此成型速度快，尤其适合制造内部结构简单的厚壁、大型零件。

2）无须专门构建支撑结构，成型后废料部分可以很容易地从主体上剥离。

3）原料比较便宜，生产成本低。

4）模型制作完毕后必须立即进行防潮处理，在表面涂上树脂或其他防潮涂料，否则制件很容易受潮变形。

思考与练习

1. 根据美国 ASTM 增材制造技术委员会的划分，增材制造成型方法可分为哪七种类型？其中哪些最为常用？

2. 熔融沉积成型有什么特点，适用于哪些场合？

3. 光敏树脂光固化成型有什么特点，适用于哪些场合？

4. 选择性激光烧结/熔融成型有什么特点，适用于哪些场合？

5. 影响 FDM、SLA、DLP、PolyJet、SLS、SLM 成型的主要工艺参数有哪些，各参数取值有何影响？

第五章

形形色色——各类增材制造材料

学习目标

1. 了解增材制造材料常见的形态和材料种类。
2. 掌握不同材料与增材制造成型类型间的对应关系。
3. 了解常用材料的制备方法。

一、增材制造材料分类

在增材制造领域，材料始终扮演着举足轻重的角色。因此，材料是增材制造技术发展的重要物质基础，在某种程度上，材料的发展决定着增材制造技术能否有更广泛的应用。

目前，增材制造材料主要包括工程塑料、光敏树脂、陶瓷材料和金属材料等。除此之外，橡胶类材料、石膏材料、生物细胞原料以及一些食品材料也在增材制造领域得到了应用。3D 打印所用的这些原材料都是专门针对增材制造设备和工艺而研发的，与普通的塑料、石膏、树脂等有所区别，其形态一般有丝状（图 5-1）、粉末状（图 5-2）、层片状和液体状等。

通常，根据增材制造设备的类型及操作条件的不同，所需材料的形态也不相同。例如，FDM 工艺对应需要丝状材料，丝材直径多为 1.8mm 或 3mm；而 SLS 工艺需要粉末状颗粒，粒径为 1~100μm，而为了使粉末保持良好的流动性，一般要求粉末要具有高球形度。

图 5-1　丝状材料

图 5-2　粉末状材料

增材制造技术改变了传统制造工业的方式和原理，材料成为限制增材制造技术发展的主要瓶颈，同时也是突破创新的关键点和难点所在。只有进行更多新材料的开发，才能拓展增材制造技术的应用领域。目前增材制造材料主要包括聚合物材料、金属材料、陶瓷材料和复合材料等，见表 5-1。

表 5-1 常用增材制造材料的分类

聚合物材料	工程塑料	ABS
		PA
		PC
		PPFS
		PEEK
		EP
		Endur（仿聚丙烯材料）
	生物塑料	PLA
		PETG
		PCL
	热固性塑料	—
	光敏树脂	
	高分子凝胶	
金属材料	黑色金属	不锈钢
		高温合金
	有色金属	钛合金
		铝镁合金
		镓
		稀贵金属
陶瓷材料	—	—
复合材料		

本章将结合实际生产应用情况，对应不同的 3D 打印成型工艺，选择有代表性的材料种类和形态进行详细介绍。

二、塑料丝材

1. 塑料丝材对应的成型工艺

塑料丝材（图 5-3）通常对应熔融沉积成型（FDM）工艺。工作时，丝材经过送料机构进入喷头，在高温作用下转化为黏流态（类似于液态），并在后续材料的持续输送下被挤出。此过程中，进、出喷头的丝材直径也发生改变，一般情况下由原始的 $\phi1.75$mm 转变为等同于喷嘴口直径的 $\phi0.4$mm。

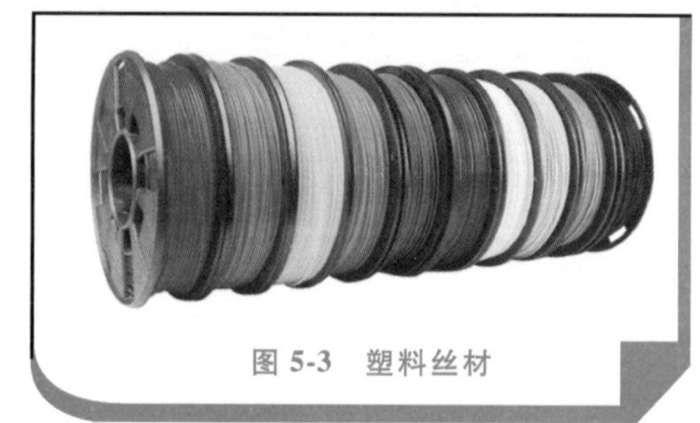

图 5-3 塑料丝材

2. 常用塑料丝的材料种类

（1）聚乳酸（PLA） PLA 的热稳定性好，加工温度 170~230℃，有较好的抗溶剂性，可用多种方式进行加工，如挤压、纺丝、双轴拉伸、注射吹塑。由 PLA 制成的产品除能生物降解外，生物相容性、光泽度、透明性、手感和耐热性较好，还具有一定的抗菌性、抗紫外线性。当焚化 PLA 时，其燃烧热值与焚化纸类相同，是焚化传统塑料的一半，而且焚化 PLA 不会释放出氮化物、硫化物等有毒气体，具有良好安全性。

PLA 具有良好的抗拉强度及延展性，可以根据不同场合的需求，制成各式各样的应用产品。PLA 适用于吹塑、热塑等各种加工方法，加工方便，应用十分广泛；可用于加工从工业到民用的各种塑料制品、食品包装、快餐饭盒、无纺布、工业及民用布；也可以加工成农用织物、保健织物、抹布、卫生用品、室外防紫外线织物、帐篷布、地垫面等。

（2）丙烯腈-丁二烯-苯乙烯共聚物（ABS）　ABS 是五大合成树脂之一，也是最常见的工业材料。丙烯腈具有一定的化学稳定性、耐油性、一定的刚度和硬度；丁二烯使其韧性、冲击性和耐寒性有所提高；苯乙烯使其具有良好的介电性能，并呈现良好的可加工性。

ABS 具有优良的综合物理和力学性能、极好的低温抗冲击性能、尺寸稳定性、电性能、耐磨性、抗化学药品性、染色性，成品加工和机械加工性较好。ABS 树脂耐水、无机盐和酸碱类，不溶于大部分醇类和烃类溶剂，而容易溶于醛、酮、酯和某些氯代烃中；热变形温度低、可燃、耐候性较差，熔融温度在 217~237℃之间，热分解温度在 250℃以上。结合 ABS 的特性，大部分的 FDM 技术打印机喷嘴温度设置为 240℃左右。

3D 打印所用的 ABS 为无毒性材料，但是由于 ABS 本身还含有苯等毒性元素，在高温状态下，会发生反应生成有毒气体。因此，打印 ABS 材料时要确保工作环境通风，操作人员不要长时间待在工作环境中。

（3）热塑性聚氨酯弹性体橡胶（TPU）　热塑性聚氨酯弹性体橡胶的硬度范围宽，具有耐磨性、耐油性，透明，弹性好，在日用品、体育用品、玩具、装饰材料等领域得到广泛应用。无卤阻燃 TPU 还可以代替软质 PVC 以满足越来越多应用领域的环保要求。在增材制造领域，该材料的出现是增材制造迈向批量生产的一大步。它的熔融挤出温度为 200~220℃，打印时无需底板加热。相对于其他 FDM 丝材种类，TPU 的特点是更软、更高弹性和更高透明度，材料容易黏附在工作台面上，成型的制件不易开裂，无异味也比较环保。

（4）非结晶型共聚酯（PETG）　PETG 作为一种新型的 3D 打印材料，兼具了一些 PLA 和 ABS 的优点。材料的收缩率非常小并且具有非常良好的疏水性，无需在密闭空间里特殊贮存。由于 PETG 的收缩率低，打印时使用或者不使用加热床都可以，且在打印过程中几乎没有气味，材料透明、坚韧，它的打印温度一般设置为 230~250℃。

3. 塑料丝材的制备

FDM 的塑料丝材通常是通过拉丝机（图 5-4）进行制备的。将所需种类塑料颗粒加入料斗，熔融后通过挤出模具挤出，再经过冷却与卷料，即完成了一卷塑料丝的制作。通过这种方法，可以将聚醚醚酮（PEEK）、聚己内酯（PCL）、ABS、PLA、PETG、TPU、TPE 甚至是木塑复合

图 5-4　塑料丝材拉丝机

材料等各种材料制备成 FDM 设备所需的塑料丝材。

三、液态光敏树脂

1. 光敏树脂对应的成型工艺

液态光敏树脂（图 5-5）通常应用于光固化立体成型（SLA）、数字光处理（DLP）和聚合物喷射（PolyJet）三种工艺中。SLA 与 DLP 工艺中，液态光敏树脂平时遮光、密封保存在罐中，在打印前被倒入设备的树脂槽中；对于 PolyJet 工艺，液态光敏树脂则被保存在一个带有接口的不透明材料罐中，在需要装载、更换耗材时，直接插拔材料罐即可。

图 5-5 液态光敏树脂

2. 常用光敏树脂的材料种类

从成分角度来说，3D 打印用光敏树脂具体组成虽各不相同，但都有几个基本组成部分：光敏预聚体、活性稀释剂、光引发剂和光敏剂。

光敏预聚体是可以进行光固化的低分子量预聚体，它是材料最终性能的决定因素，主要有丙烯酸酯化环氧树脂、不饱和聚酯、聚氨酯等几类；活性稀释剂主要是指含有环氧基团的低分子量环氧化合物，它们可以参加环氧树脂的固化反应，成为环氧树脂固化物的交联网络结构的一部分，主要有丙烯酰氧基、甲基丙烯酰氧基、乙烯基、烯丙基等几类；光引发剂和光敏剂都是在聚合过程中起促进引发聚合的作用，光引发剂本身参与反应，光敏剂则相当于催化剂，光引发剂主要包括安息香及其衍生物、苯乙酮衍生物、三芳基硫磷盐类等。

此外，从使用特性角度，介绍几类光敏树脂材料。

（1）通用树脂　通用树脂，即最常用的 3D 打印光敏树脂。3D 打印设备厂商起初都出售各自专用材料，随着市场发展，出现了大批的制造树脂的厂商。由于桌面树脂的颜色和性能有局限性，最初只有黄色和透明色的材料，近年来颜色已经扩展到橘色、绿色、红色、黄色、蓝色、白色等多种颜色。

（2）硬性树脂　通常用于桌面级 3D 打印机的光敏树脂有点脆弱，固化成型后容易折断和开裂。为了解决这些问题，许多公司开发生产了性能优良的树脂，这类树脂材料在强度和伸长率之间取得了一种平衡，使 3D 打印的原型产品拥有更好的抗冲击性和强度，可以制造一些有精密组合要求的零部件原型。

（3）柔性树脂　这类树脂的性能表现为一种中等硬度、耐磨、可反复拉伸的状态，可用来制作需要反复拉伸的零部件，例如铰链和摩擦装置。

（4）弹性树脂　弹性树脂是在高强度挤压和反复拉伸下表现出优秀弹性的材料。如 Flexible 树脂是非常柔软的橡胶类材料，在打印比较薄的层厚时会很柔软，打印比较厚的层厚时会变得非常有弹性和耐冲击力，这种新材料性能优良，用于制造铰链、减振装置、接触面和其他工程。

（5）高温树脂　高温树脂是许多树脂制造厂商一个重点研发方向。目前有的高温树脂热变形温度高达 250°C 以上，可以在高温下保持良好的强度、刚度和长期的热稳定性，适用于汽车和航空工业的模具和机械零件。

(6) 日光树脂 日光树脂与普通的在紫外光照射下发生固化的树脂不同，它们在普通日光下就可以固化。这样就可以不再依赖 UV 光源，而仅凭一个液晶屏来固化此类树脂。日光树脂有望大幅降低 DLP 工艺的 3D 打印成本，具有一定的发展潜力。

(7) 生物相容性树脂 生物相容性树脂对人体环境安全友好，可用作外科材料，如牙科行业。随着技术的发展，生物相容性树脂也可以适用于整个医疗行业。

3. 光敏树脂的制备

光敏树脂的制备过程是将不同比例原料进行混合的过程。制备时，将基本的光敏预聚体、活性稀释剂、光引发剂、光敏剂材料，以及其他助剂进行混合、加热，并且搅拌均匀即可。细分的光敏树脂材料根据配方或者制备工艺的不同呈现出不同的性能，适用于不同的领域。

四、塑料与金属粉末

1. 塑料与金属粉末对应的成型工艺

塑料粉末（图 5-6）、金属粉末对应的 3D 打印成型工艺通常是选择性激光烧结（SLS）、选择性激光熔融（SLM）这两种。成型过程中，粉材先被加热至恰好低于该粉末烧结点的某一温度，而后被激光照射的粉末温度迅速升至熔点，从而与其他部分相结合。

图 5-6 塑料粉末

2. 常用塑料与金属粉末的材料种类

从原理上来说，SLS 与 SLM 工艺可以成型的粉末种类非常多，下面介绍对应这类 3D 打印工艺比较有代表性的材料。

(1) 尼龙粉末 尼龙粉末是一种白色的塑料粉末，具有质量轻、耐热、摩擦系数低、耐磨等特点。尼龙材料热变形温度为 110℃，粉末粒径小，制作模型精度高，成型后的制件不需要特殊的后处理就可以具有较高的抗拉强度。尼龙成型件在颜色方面的选择没有 PLA 和 ABS 材料那么广泛，但可以通过喷漆、浸染等方式进行色彩的选择和上色。

(2) 钛合金 钛合金具有优良的强韧性、耐蚀性和生物相容性，密度小、比重低，在航空航天和汽车制造中有着非常理想的应用。此外，由于其强度高、弹性模量低、抗疲劳性能好等优点，被用于生物医学植入物的生产。

(3) 铝合金 用于金属材料 3D 打印的铝合金主要有 AlSi12 和 AlSi10Mg 两种。AlSi12 是一种轻质材料，具有良好的热性能，可用于换热器等薄壁零件或其他汽车零部件的生产，也可用于航空航天等工业原型机及零部件生产。铝合金粉末中加入 Si、Mg 等元素后，具有更高的强度和硬度，成型件的热性能好、重量轻，特别适用于制作薄壁、复杂的几何零件。

(4) 贵金属材料 随着 3D 打印产品在时尚界的影响力越来越大，世界各地的珠宝首饰设计师也越来越青睐这一技术。在珠宝 3D 打印领域，常用的贵金属材料是黄金、纯银等。

3. 粉末的制备

塑料粉末需具有较高的球形度及粒径均匀性，通常可用低温粉碎法制备。低温粉碎过程是将冷却到脆化点温度的物质在外力作用下破碎成粒径较小的颗粒或粉体的过程，该技术可保证被粉碎物质在粉碎过程中的组织成分不受破坏。以尼龙材料为例，低温粉碎过程中还可加入玻璃微珠、黏土、铝粉、碳纤维等无机材料，最终可制备出复合尼龙粉末，这些无机填料的加入也能提升最终制品各方面的性能。

金属粉末的制备比较复杂，由于应用及后续成型工艺要求不同，其制备方法也有所不同。国内常用的两种先进制粉工艺是氩气雾化法和等离子旋转电极法。氩气雾化法制粉是利用快速流动的氩气流冲击金属液体，将其破碎为细小颗粒，继而冷凝成为固体粉末的制粉方法；等离子旋转电极法的制粉过程是将金属或合金制成自耗电极，自耗电极端部在同轴等离子体电弧加热源的作用下熔化形成液膜，液膜在旋转离心力的作用下被高速甩出形成液滴，熔融液滴与雾化室内惰性气体（氩气或氦气）摩擦，在切应力作用下进一步破碎，随后熔滴在表面张力的作用下快速冷却凝固成球形粉末。

五、其他材料

除了上面介绍的常用3D打印材料外，目前在增材制造领域还有一些比较特殊的材料，例如陶瓷、石膏粉、人造骨粉、细胞生物原料以及食品原料等，下面介绍其中三种。

（1）陶瓷　陶瓷具有高强度、高硬度、耐高温、低密度、化学稳定性好、耐腐蚀等优异特性，是三大固体材料之一。目前3D打印中的陶瓷主要有氧化铝陶瓷、氧化锆陶瓷、磷酸钙陶瓷等。目前陶瓷已应用于FDM、SLA、SLS、LOM与PolyJet等多种成型工艺中，使用这些技术打印得到的陶瓷坯体经过高温脱脂和烧结后，便可得到陶瓷零件。

（2）石膏　石膏粉末的化学本质是硫酸钙，在建筑行业中的应用十分广泛。与其他3D打印材料相比，石膏粉末具有性价比高、安全环保、可全彩打印等优点。石膏粉末主要应用于3DP技术，成型过程中利用黏合剂将石膏粉末黏结在一起，逐层堆积成三维实体，可用于建筑、艺术、装饰等模型及构件制作。

（3）食品原料　3D打印食品原料可以制成汉堡、披萨、巧克力、煎饼等食物。这类打印主要对应的FDM技术，将固体颗粒状或黏稠流质的食品原料装入料筒，通过螺杆机构或推杆机构挤出，通过控制堆积成一定形状即完成食物的3D打印。

思考与练习

1. 常用的增材制造材料有哪些种类与形态？
2. 丝材对应哪种类型的增材制造成型工艺？常用的材料种类有哪些？
3. 光敏树脂常用于哪种类型的增材制造成型工艺？
4. 粉末材料常用于哪种类型的增材制造成型工艺？常用的粉材种类有哪些？

第六章

得心应手——增材制造设备的操作

学习目标

1. 掌握增材制造的一般工作流程。
2. 了解典型熔融沉积类、光固化类、选择性激光烧结与熔融类增材制造设备的操作流程。
3. 了解主要增材制造设备操作的要点。

一、增材制造工作流程

不同类型的增材制造设备成型原理有所不同，因此这些设备的具体操作方法也不尽相同。即使是不同类型的 3D 打印机，在使用时仍然会遵循一个基本的操作流程，这一流程如图 6-1 所示。

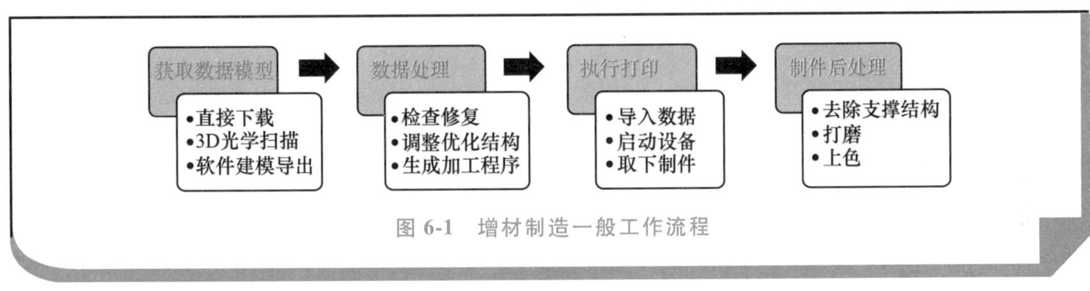

图 6-1　增材制造一般工作流程

1. 获取数据模型

3D 打印机如同神笔马良手中的那只“神笔”，可以化虚为实，但是再“神”的笔也离不开马良这位执笔人。要用神笔，就要让神笔知道自己要画什么，要用 3D 打印机，也必须让 3D 打印机知道自己要打印什么？那就必须准备好对应的三维数据模型。获取数据模型通常会采用以下三种方式。

（1）直接下载　对于年龄较小或没有三维造型基础的人员，要进行 3D 打印，最简单的方法就是直接到网上下载 STL 格式的数据模型（图 6-2）。目前国内外互联网上均建有一些非常好的网站，可以从中免费或付费下载许多可供打印的三维数据模型。

（2）3D 光学扫描　光学扫描仪是一种三维扫描设备，可用于创建物体几何表面的点云（图 6-3），部分光学扫描仪甚至能够通过获取表面颜色扫描得到彩色的三维模型。光学扫描仪目前广泛运用于工业生产中的逆向工程、质量检验领域，它获取的模型也可以直接进行 3D 打印。

图 6-2 3D 打印模型下载网站

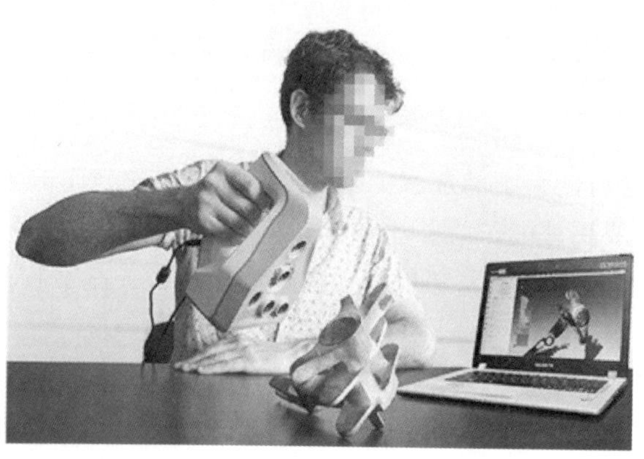

图 6-3 3D 扫描获取数据模型

（3）软件建模导出 主流的三维 CAD 软件（图 6-4）都具备将三维模型导出为 STL 格式文件的功能。同时，三维 CAD 软件强大的建模能力也利于保证个性化、定制化设计三维模型。对于具备一定专业基础的人员来说，使用一款熟悉的三维 CAD 软件自主设计造型，并导出 3D 打印所需的 STL 格式文件是一项必备技能。

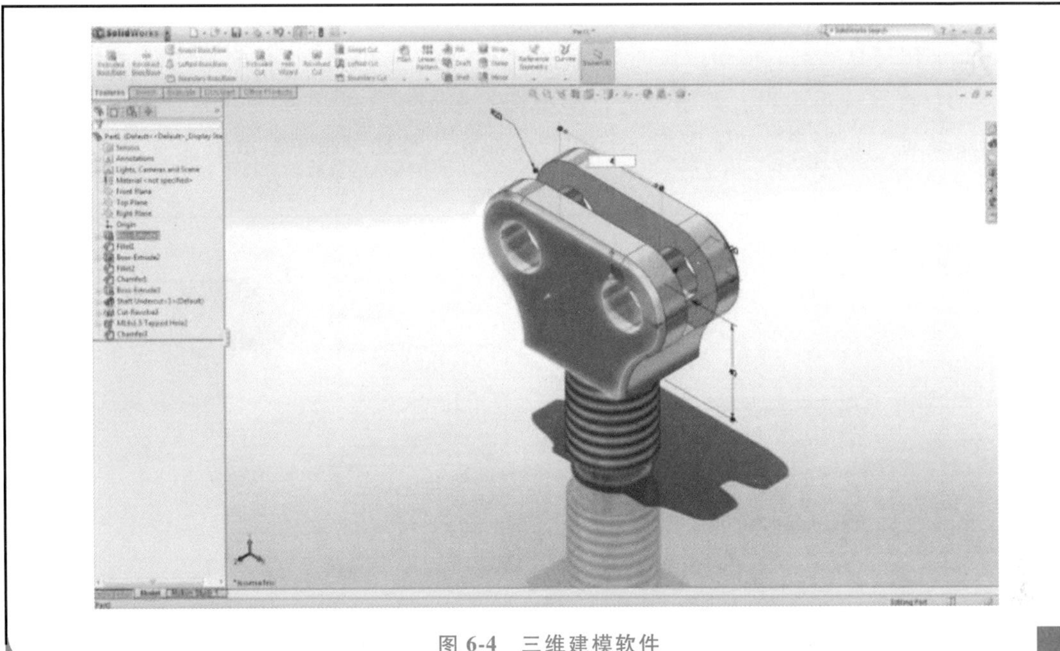

图 6-4 三维建模软件

2. 数据处理

数据处理是在“准备好模型数据”和“将数据模型导入 3D 打印机”这两步之间必不可少、非常重要的中间环节。它主要包含对三维模型的检查修复、调整优化模型结构及生成加工程序这三项。

下面对模型数据处理的内容进行简单阐述，其中许多具体内容将在本书第七章中进行详细阐述。

（1）三维模型的检查修复　由于 STL 文件结构简单，缺少几何拓扑结构要求的完整性，同时也由于一些三维造型软件在三角形网格算法上的缺陷，生成的 STL 数据常常会存在一些问题。据统计，从 CAD 到 STL 转换时会有将近 70% 文件存在各种不同的错误，而不同 3D 打印设备对容错率要求各不相同。因此，如果对这些问题不做处理，很可能会影响到后续分层处理等环节，从而导致设备无法正常打印。所以，打印前很有必要对 STL 文件进行检测和修复。

针对 3D 打印模型数据进行检查修复的软件很多，其中具有代表性的是 Materialise Magics 软件（图 6-5，以下简称 Magics）。

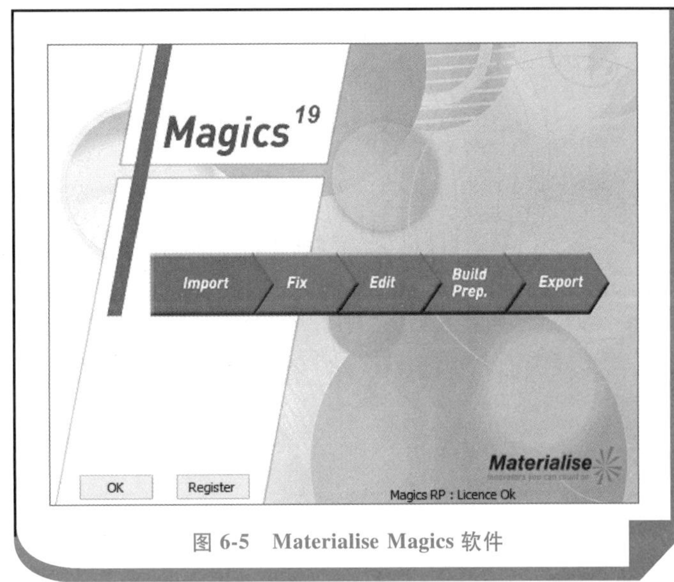

图 6-5 Materialise Magics 软件

（2）调整优化模型结构　3D 打印的 STL 格式模型是一种“无参数”模型，它不像诸多参数化模型那样轻易地进行编辑、修改。在实际生产中，考虑到 3D 打印工艺性，常常会遇到需要对 STL 数据进行编辑、调整、优化模型结构的情况。使用 Magics 软件或同类软件，可以根据需要对 STL 格式的三维模型进行拆分、抽壳、打孔、布尔运算及添加支撑结构等操作（图 6-6）。

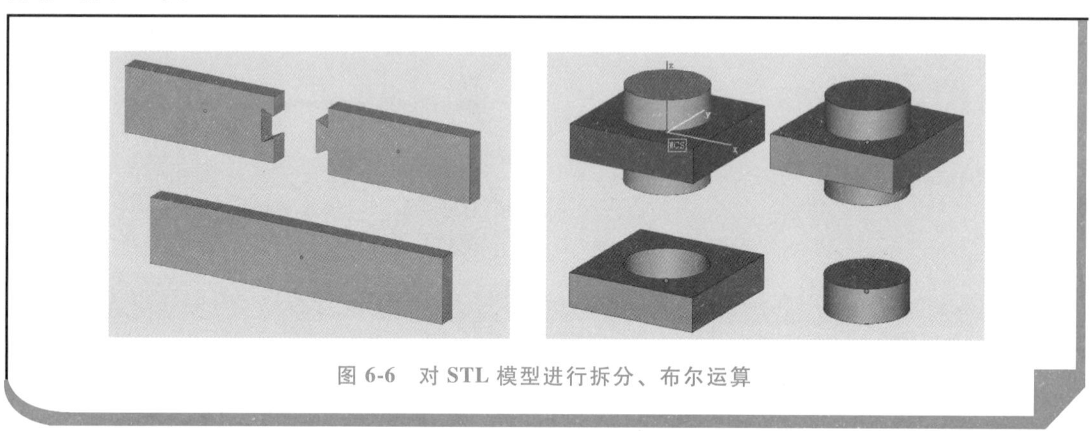

图 6-6　对 STL 模型进行拆分、布尔运算

（3）生成加工程序　3D 打印机需要根据对应的程序指令来控制设备动作。以 FDM 设备为例，3D 打印机先接收到加工程序代码，从而进行控制喷头运动、调整温度、挤出丝料等一系列动作，最终打印出所需制件。通常将 STL 数据模型转换成 3D 打印机可以直接识读的加工程序代码这一转换过程称为“切片”，而将使用的辅助软件称为切片软件（图 6-7）。

为什么说是切片呢？切片实际上就是把三维模型按一定厚度切片分层，计算出每一层的打印路径（填充密度、角度、外壳等）与工艺参数，以实现“分层打印，逐层叠加”；最后，将转换后的文件储存为 3D 打印机能直接读取并使用的文件格式（如 Gcode 格式）。

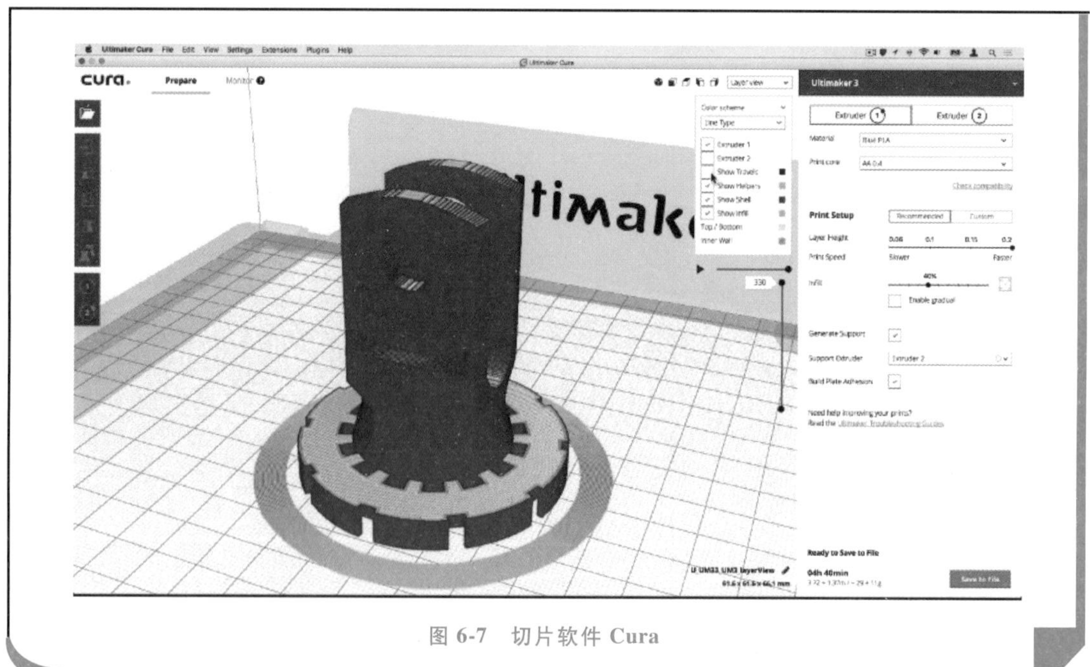

图 6-7　切片软件 Cura

3. 执行 3D 打印

执行 3D 打印是开启设备进行加工生产的环节（图 6-8），这一环节自动化程度比较高，其实是相对比较简单的环节。操作人员需要掌握所使用的 3D 打印设备的基本操作、耗材更换、常规维护与保养的流程与方法，在使用时将加工程序导入并执行打印，完成后取下制件。

不同类型设备的操作有所不同，具体内容将在本章后续小结进行展开。

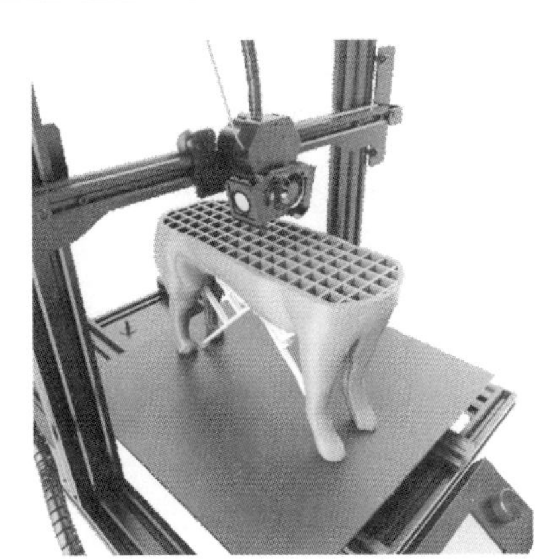

图 6-8　执行 3D 打印

4. 制件后处理

3D 打印件的后处理指取下 3D 打印件后再对其进行手工或机加工处理。例如，去除在打印一些悬空结构时所添加的支撑结构。由于 3D 打印机加工出的零件还比较粗糙，要对其进行物理抛光或化学抛光（图 6-9 和图 6-10）；对打印出的单色制件进行上色，后处理部分的内容将在第八章进行详细阐述。

图 6-9　清除粉末后处理

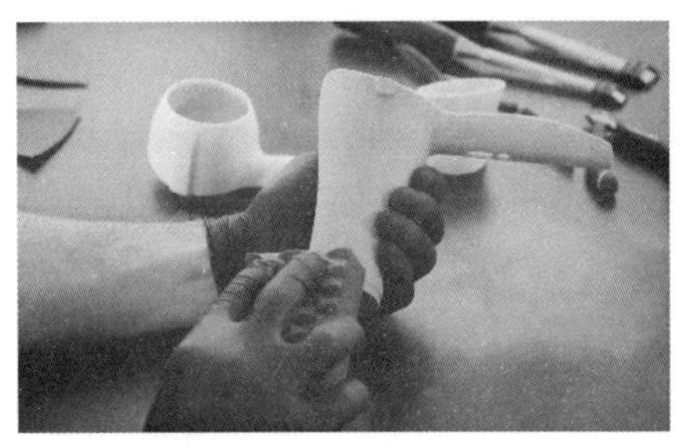

图 6-10　砂纸打磨后处理

二、FDM 类型设备的操作

FDM 类型 3D 打印设备的典型操作流程如图 6-11 所示。

1. 装载丝材与调整托盘

3D 打印设备在执行打印操作前需进行预检、调试，可以很好地改善制件的质量以及提高制作成功率。对 FDM 类型的设备，主要需要确认丝材和工作托盘的情况。

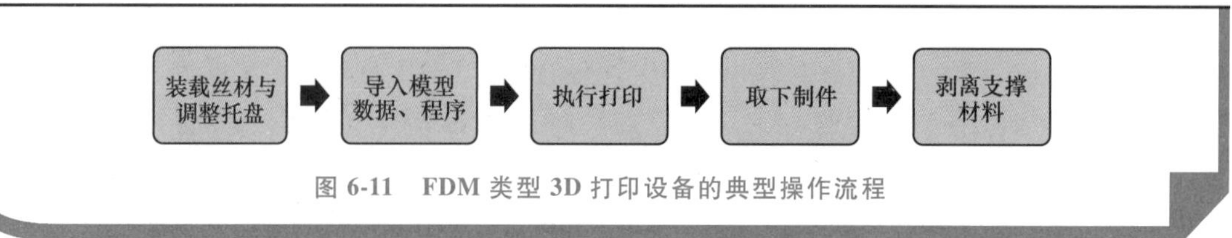

图 6-11 FDM 类型 3D 打印设备的典型操作流程

FDM 设备的打印耗材为塑料丝。在每次打印前，均需确认耗材的种类、数量（长度或重量）、品质情况，如有需要则及时进行更换。这其中尤为容易被忽略的就是对耗材品质情况的确认，因为当机器中的塑料丝长时间不使用并置于空气中后，极易受潮或脆化，丝材受潮会导致喷头加温中产生气泡从而影响正常出料，而丝材脆化则会导致断料的概率大大增加。

一般塑料丝耗材为卷盘状（图 6-12），包装好的材料还会增加一个盒子（图 6-13）。在更换耗材时，先控制设备喷头升温，送料机构倒转将原有丝材退出，接着将新材料端部斜剪45°头后导入送料结构，控制送料机构正转将塑料丝往前送，最后观察到喷头处有熔丝流出即说明更换完成。

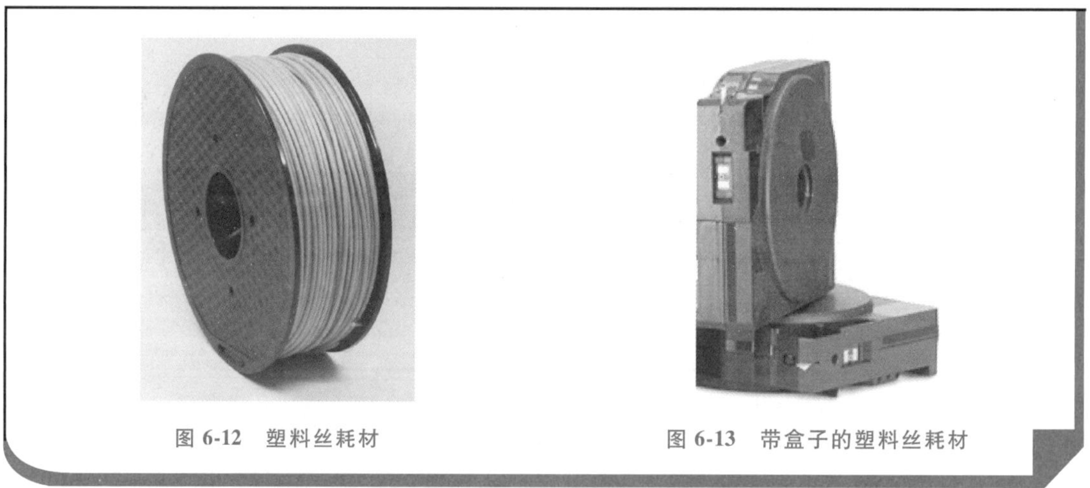
图 6-12 塑料丝耗材　　图 6-13 带盒子的塑料丝耗材

托盘的调整通常指调平和调高。调平是将工作台面调整至水平（设备水平摆放时），调高是调整喷头最低点的位置（与工作台面间距值）。FDM 类型设备打印中如果第一层塑料能够很好地粘在打印平台上，那么后续打印也会非常顺利；如果平台不平或基准高度不准确，则很可能导致模型的第一层整体制作得很松，或是很紧，或者一侧松一侧紧，严重时甚至会撞坏打印喷头。

早期的桌面级 3D 打印机常常会采用手动调平，现在的很多设备都加入了自动调平功能，它们大致原理都是通过在工作台的不同位置进行 Z 方向距离的探测，得到多个位置值后计算出托盘的倾斜程度，随后进行调整补偿。

调高通常在调平之后进行，也就是喷头相对于托盘在 Z 方向高度基准位置的调整。以手动调整为例，采用的类似于 CNC 机床对刀所用的“逼近法”，首层打印的合理间隙值约为 0.15mm，大约等于一张 A4 纸的厚度。如图 6-14 所示，先高倍率移动调整喷头以逐步逼近托盘，在两者间放入一张 A4 纸并来回小幅抽动，当感受到 A4 纸抽动困难时说明间隙过小，退回一格，并降低速度倍率再次重复前一轮动作，直至 A4 纸在喷头与托盘间能够正常抽动但略有阻力感，则间隙恰当，将此高度设置为零位基准即可。

图 6-14　借助 A4 纸调整托盘

2. 导入模型数据、程序

导入模型数据是设备工作前必须要完成的步骤。FDM 类型设备需要根据程序代码控制喷头运动、调整温度、挤出丝料等动作，才能打印出所需制件。

可导入 FDM 类型设备的数据分为 STL 格式的模型数据以及 Gcode 格式的加工程序代码两种。大部分设备可以直接将 STL 格式的模型数据导入 3D 打印机本体或本体所连接的计算机中，设备可以通过内置或配套的软件处理数据，将其转换为加工程序；而对于早期的一些桌面级 3D 打印机或某些 3D 打印爱好者 DIY 的拼装机型，这些设备通常不具备独立处理模型的能力，那么就需要提前通过 CAM 软件转化好数据，再将转化后的程序代码（通常为 Gcode 格式）导入到设备中。

通常把 3D 打印中用到的 CAM 软件称为切片软件。切片软件会将三维模型切分为若干层，并计算出每层二维图形对应的喷头运动轨迹，如此叠加起来便生成了能成型完整三维模型形状的程序指令。

切片软件大致可分为两大类。一类是设备配套软件，前文提到的能直接导入 STL 模型的设备就是使用这类软件，它们大多伴随所购买的设备附送，已经针对性地进行了专门的参数配置，软件操作比较简单，但只能应用于专门的设备；另一类是开源通用软件，例如常用的 Cura 软件（图 6-15），这类软件大都可以在网上免费下载，并且具有完善的自定义设置选项，适用于那些不具备独立处理 STL 模型数据能力的 3D 打印设备。

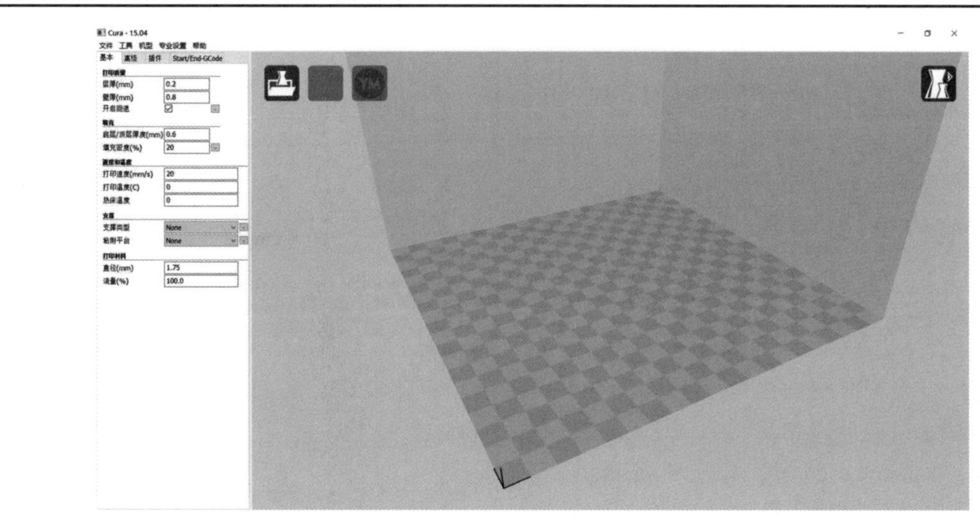

图 6-15　在切片软件 Cura 中设置工艺参数并生成加工程序

3. 执行打印与取下制件

执行打印的操作非常简单，只需要根据文件名选中所需加工的零件，然后根据提示进行操作即可。对于FDM成型工艺来说有一点非常重要，即操作者一定要观察首层打印的质量，这是因为在FDM打印中底层塑料与工作台面的黏结是最容易发生问题的地方。当观察到第一层打印质量不高（如厚薄不均、未粘牢等）时，应果断终止打印，调整设备后重新打印，否则极易在后续打印过程中发生底层翘边、制件倾倒等问题（图6-16）。

当打印完成后，即可将托盘取出并取下制件。刚打印完成时，制件温度较高，此时制件更容易被取下；当制件和托盘完全冷却后，制件会比较难以取下，此时可以借助铲刀等工具铲下制件（图6-17）。如果是和托盘接触面较大的制件，还可以通过轻微用力掰弯底板以减小接触面的方式，使得3D打印制件更容易被取下。

图6-16 首层打印未粘牢

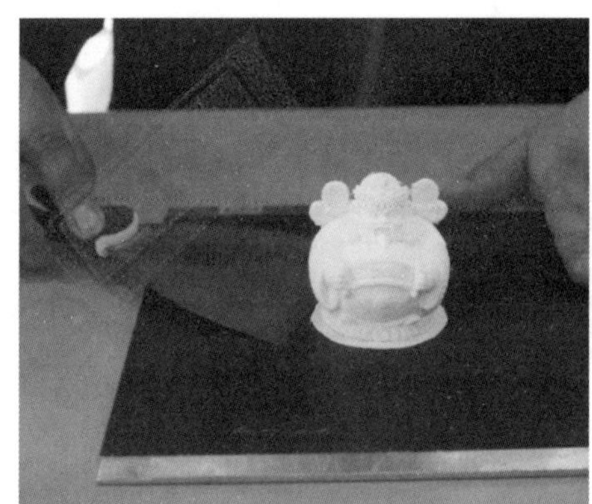

图6-17 使用铲刀铲下制件

4. 剥离支撑材料

由于很多情况下3D打印制件存在支撑结构，因此对于这类制件还需要剥离这部分支撑材料。

大部分单喷头设备的支撑材料和零件本体是同一种材料，需要使用剥除钳、镊子这类工具进行手工剥离（图6-18）。先观察支撑情况，大面积的支撑材料可以用斜口钳去除；对于细小的部分，可以改用适当大小的刻刀来去除。在手工剥离过程中，尽量不要让刀刃接触模型，以免对模型造成损坏，同时也要注意安全，不要被工具割伤手。

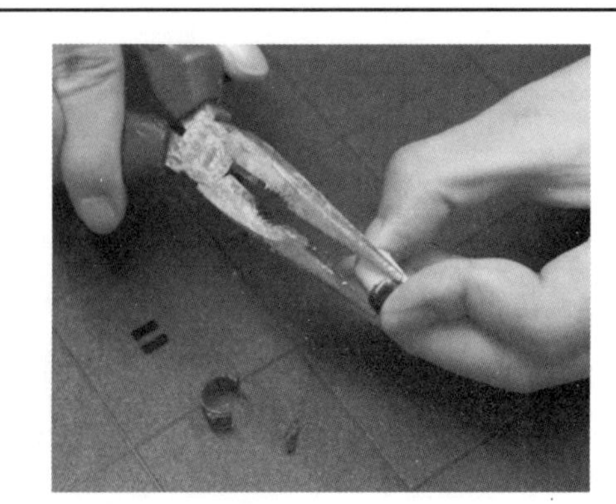

图6-18 手工剥离支撑材料

多喷头设备有时支撑结构会采用不同的材料来打印，此时就可以根据支撑材料的特性选用合适的去除方法。例如，美国Stratasys公司的Dimension SST 1200es设备就使用了一种可溶式支撑材料，将3D打印制件本体连同支撑结构一同放入加热的碱水中一段时间，支撑材料会自行溶解（图 6-19）。

图 6-19 泡入碱水去除支撑材料

阅读材料

设备型号：美国 Stratasys Dimension SST 1200es

工艺类型：FDM

Dimension SST 1200es 设备操作规程

1. 开机

1）将机器后面右下方的红色主电源开关上方压下，置于“1”位置。

2）将机器前面右下方的黑色电源开关左边压下，置于“1”位置。机器的显示屏亮显，系统开始启动，3~7min 后显示屏显示“Warming up（正在加热）”以及 Model（模型）、Support（支撑材料）和 Env（环境）温度等相关信息，机器开始执行 X、Y、Z 轴归零，待实际温度到达设定温度后，显示屏显示主菜单。

2. STL 文件处理

1）运行 CatalystEX 程序，从菜单“文件”中选择 OpenSTL，打开所需处理的工件 STL 文件。

2）在“General（通用）”页面中选择制作工件的参数，调整“Slice height”“Part interior style”“Support style”的设定。

3）在“Orient（方向）”页面中调整工件的摆放位置，检查工件的摆放是否合乎要求。

4）单击页面下方的“Process STL（处理 STL 文件）”，生成 CMB 文件并保存。

5）单击页面下方的“Add to Pack（添加到模型包）”，生成 CMB 文件并载入“模型包”页面。

6）从“Packing（模型包）”页面中载入需制作工件的 CMB 文件，调整工件的制作位置。

7）单击页面下方的“打印”按钮，“模型包”页面中载入的工件 CMB 文件作为一次工作任务传送到机器。

8）在“打印机状态”页面中可调整工件任务的制作顺序，或删除不需制作的工作任务。

3. 制作工件

1）确认显示屏显示的工件 CMB 文件名称是否正确。

2）确认显示屏显示的 Model 及 Support 材料数量是否充足。

3）将基板固定在工作平台上。

4）选择正在闪烁的 Start Model，显示屏显示“Finding Home”，执行 X、Y、Z 轴回零和检测基板，完成后显示屏显示 Building 并出现“Pause”“Light off”“Show time”“Auto Power Off”选项。机器开始制作工件。

5）工件制作完成后显示屏显示 Completed Build、Remove Part 等信息。开门取出基板，另取一块基板固定在工作平台上，清理废料盒，再关门。机器询问提示“Part Removed?”，选择“Yes”，机器回到待机状态。

6）从基板上取下工件，去除支撑材料。

4. 暂停、恢复和取消工件制作

1）当机器正在制作工件时选择 Pause，机器显示屏显示“Pending Pause”，在完成当前的一个刀路后，机器进入暂停状态。

2）在暂停状态下选择 Resume，机器将继续暂停之前的工件制作。

3）在暂停状态下选择 Cancel Build，机器询问提示“Are you sure?”，选择“Yes”，机器将停止之前的工件制作，并提示从成型空间取出工件。

5. 关机

1）将机器前面右下方的黑色电源开关右边压下，置于“0”位置，显示屏开始显示“Coolingdown（正在冷却）”以及 Model（模型）、Support（支撑材料）和 Env（环境）温度，待显示屏无显示，机器内照明灯熄灭。

2）将机器后面右下方的红色主电源开关下方压下，置于“0”位置。

三、SLA/DLP/PolyJet 类型设备的操作

SLA/DLP/PolyJet 类型 3D 打印设备的典型操作流程如图 6-20 所示。

图 6-20　SLA/DLP/PolyJet 类型 3D 打印设备的典型操作流程

1. 装载树脂

SLA/DLP/PolyJet 三种类型的 3D 打印原理各有所不同，但它们所使用的打印耗材均为液态光敏树脂，因此在打印制件前均需确保将合格的光敏树脂材料装载入设备。

光敏树脂具有遇光固化的特性，因此通常保存在深色不透明容器中（图 6-21）。对于 SLA 和 DLP 类型的设备，它们的工作区域均设有一个树脂槽（图 6-22 和图 6-23），正确的操作是在制件打印前将光敏树脂倒入槽中，在完成打印后则放出槽中多余树脂，将其处理掉或酌情过滤后回收。

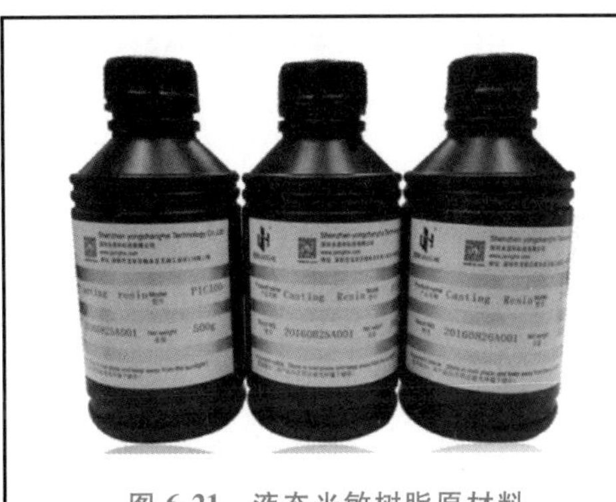

图 6-21　液态光敏树脂原材料

图 6-22　SLA 类型设备的树脂槽

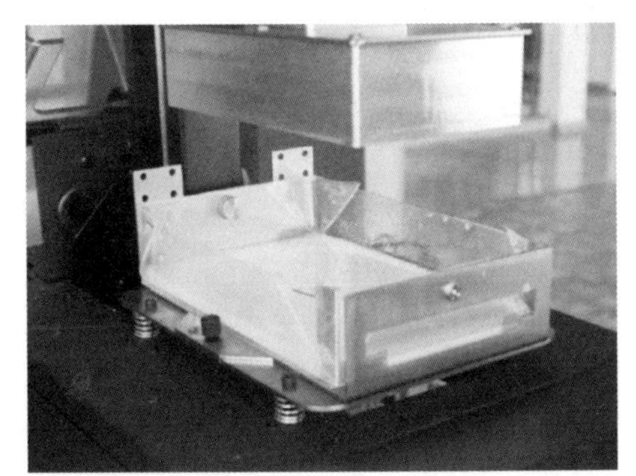

图 6-23　DLP 类型设备的树脂槽

PolyJet 类型设备的树脂材料装载方式比较特殊，采用的是直接插入的方法。将光敏树脂液体装在一个罐中（图 6-24），前端设有一个接口，使用时可将接口对准设备直接插入料仓位置，更换材料时也可以直接将材料罐拔出（图 6-25）。设备的结构类似于传统喷墨打印机，压力泵将光敏树脂从材料罐中吸出，通过导管导入多排密布的喷头，在工作时进行喷射。

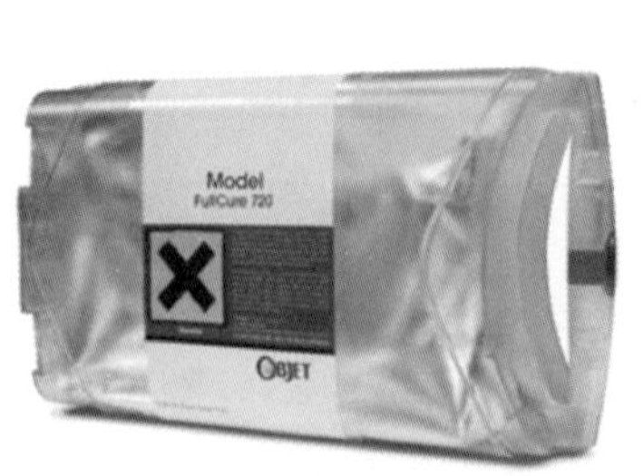

图 6-24 装光敏树脂的 PolyJet 材料罐

图 6-25 材料罐插在 PolyJet 设备的料仓中

2. 导入模型数据、程序

光敏树脂类 3D 打印机的模型数据或程序的导入方法与 FDM 类型设备基本相同。根据设备具体情况，将 STL 格式的模型数据导入设备或计算机中，通过打印机内置切片软件或计算机中安装的切片软件进行处理，设置好模型摆放位置、支撑结构以及一些相关工艺参数，生成加工程序后即可导入 3D 打印机。

SLA/DLP/PolyJet 类型设备的切片软件同样分为开源通用和设备配套两大类，使用者可以根据所用设备的情况自行选择，如图 6-26 所示。

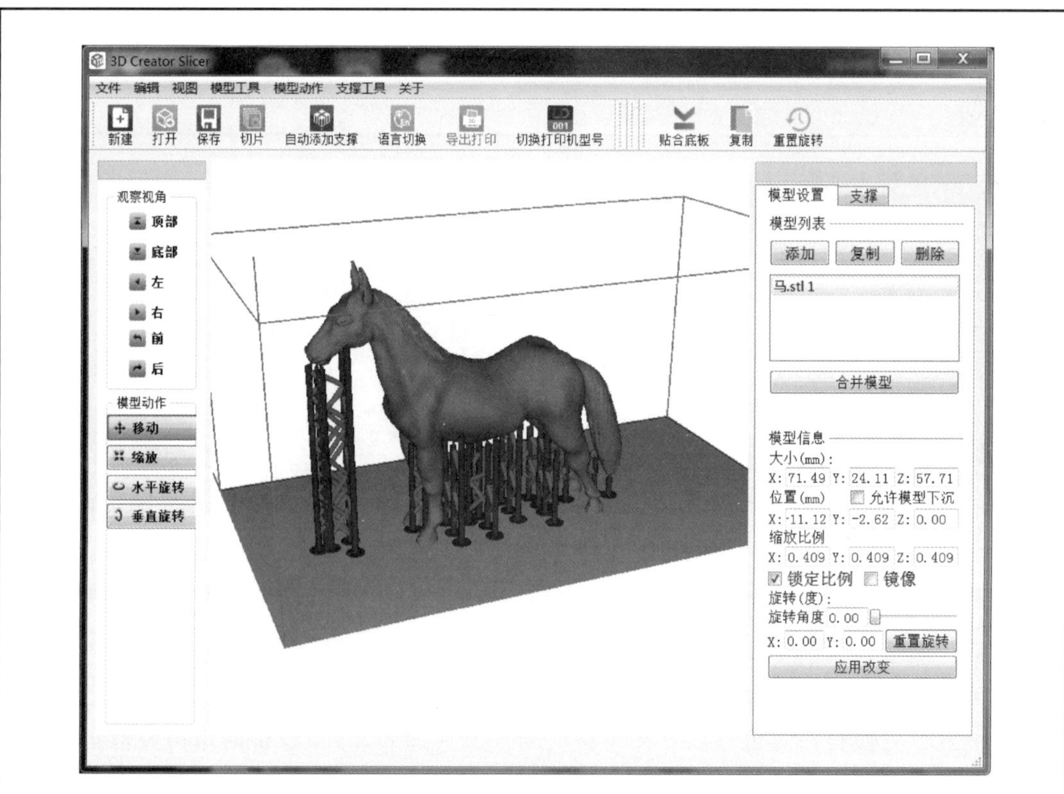

图 6-26 某 DLP 类型设备对应的切片软件

3. 执行打印及取出制件

在导入数据后，光敏树脂类设备一般只需按操作规程完成面板操作即可启动打印。这类设备使用时需要注意的是，创建理想的工作环境，即通风、温湿度、光照等条件。因为光敏树脂具有轻微毒性，闻起来有一定的刺激性气味，因此需要确保工作场地有良好的通风条件；设备工作区的理想环境温度为25℃左右，湿度应小于40%，这样更有利于保持产品的品质和原材料的保存；设备最好置于暗房中，房间所配备的照明宜采用黄光，因为蓝光会促使树脂槽内的材料提前固化。

图 6-27　待取 SLA 制件

完成打印后，即可将制件取出。对 SLA 设备，先将树脂槽内液面降低，露出完整工件（图 6-27），随后可使用铲刀等工具辅助取下制件；对 DLP 设备，由于是“倒吊着”加工的，可以先将制件抬高静置一段时间（图 6-28），待树脂液不再滴落时铲下制件；对 PolyJet 设备，完成后待零件冷却 5min 即可直接用铲刀将工件整体铲下（图 6-29）。

图 6-28　待取 DLP 制件

图 6-29　待取 PolyJet 制件

4. 清洗制件及去除支撑材料

光敏树脂类 3D 打印制件去除支撑材料分成两种情况：

对 SLA 和 DLP 设备，刚取下的制件表面还会附着一层树脂液体，可使用喷壶（图 6-30）喷洒浓度 75%的酒精溶液，然后将树脂液擦拭干净。随后对于一些结构性的支撑结构，还是要借助工具来去除，由于光照强度不同，光固化制件有时会硬而脆（曝光时间长），有时又呈现出软韧的特性（曝光时间短），所以一定要根据制件的实际情况合理选用辅助工具。

对 PolyJet 设备，其制件中的支撑结构部分为一种特殊材料，在光固化后成为类似凝胶状的形态，用手即可剥离。对这类制件，可使用高压水枪冲洗（图 6-31），即可完全冲掉支撑材料，得到 3D 打印制件本体。

图 6-30 喷壶

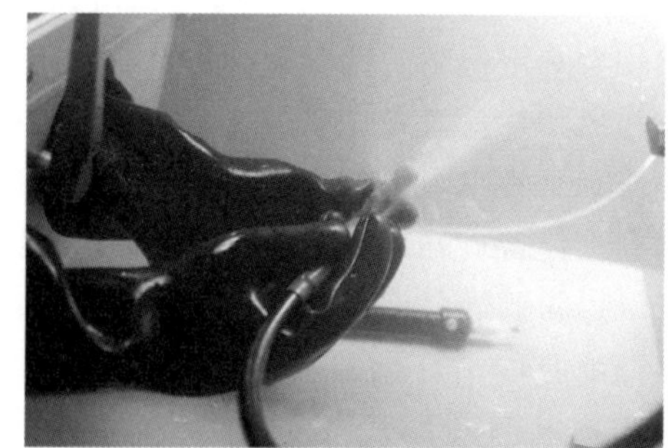

图 6-31 用高压水枪冲洗 PolyJet 制件

阅读材料

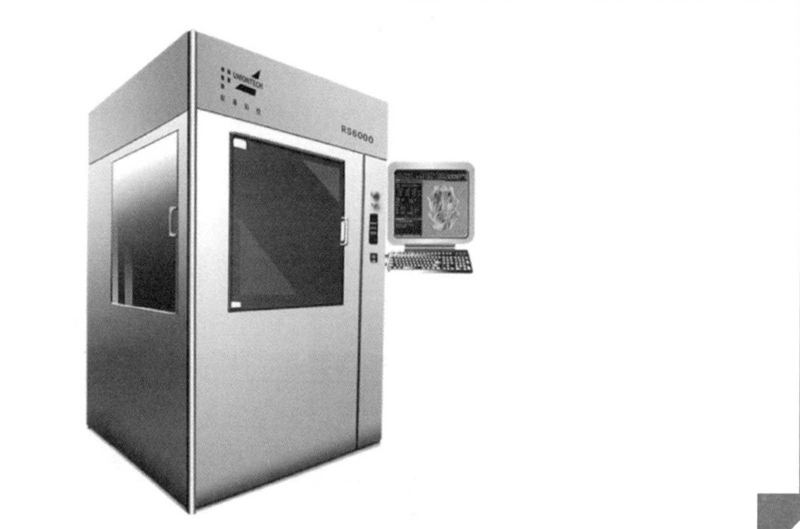

设备型号：上海联泰 RS6000

工艺类型：SLA

RS6000 设备操作规程

1．开机

1）确认电源接通（观察机器电源指示灯），稳压电源工作正常。

2）旋开“急停”开关。

3）按下面板上的绿色“启动”按钮。

4）依次打开面板上的“激光”“光路”“驱动”“温控”“液位”“照明”6 个开关。

5）启动工控计算机。

6）打开激光器，旋转钥匙打开“Power”（开关），依次打开“DIODE”（二极管）“QS-ON”（打开Q开关）“SHT-ON”（打开快门），按“CURRENT+”（增加电流）键将电流升至25.5A。

2. 工件制作

1）确认环境温度在25℃左右，湿度小于40%。

2）双击打开RSCON软件。

3）单击“直接控制”选项下的“刮刀回零”按钮，将刮刀回至零位。

4）单击“直接控制”选项下的“Z轴回零”按钮，将托板回至零位。

5）单击“直接控制”选项下的“液位位置”，勾选“自动调整液位”，机器将自动调整液位。

6）单击“导入”按钮导入“切片.cli”文件，单击“模拟加工”按钮对零件进行模拟加工。

7）保存DMZ文件，重启软件并重新导入DMZ文件。

8）单击“制作开始”按钮开始加工。

3. 暂停操作和继续加工

1）单击主工具栏“暂停”按钮可暂停制作工件，单击主工具栏的“继续加工”按钮可以继续加工。

2）软件非正常关闭时，重启RSCON软件，打开保存的DMZ文件，单击“开始加工”按钮，在弹出对话框中选择“继续制作”并单击“确定”，机器继续制作工件。如果要取消某个打印件，只要取消勾选所选择的工件即可。

4. 关机

1）关闭激光器，依次关闭“CURRENT”“QS-ON”“DIODE”，旋转钥匙关闭“Power”（开关）。

2）关闭工控计算机。

3）依次关闭面板上的“激光”“光路”“驱动”“温控”“液位”“照明”6个开关。

4）按下“急停”按钮，关闭电源。

设备型号：美国 Stratasys Connex 350

工艺类型：PolyJet

Connex 350 设备操作规程

1. 开机

1）确认电源接通，稳压电源工作正常。

2）打开打印机后部电源开关。

3）显示器切换至工控计算机，双击桌面 Connex 程序，启动机器控制程序。

4）显示器切换至外部计算机，启动 Objet studio 软件。

2. 工件制作

1）显示器切换至工控计算机，在 Option 菜单中选择 Wizard 下的 Head cleaning（清洁打印头），按对话框提示操作，用酒精从里向外擦打印头。

2）工作台左下侧放一张 A4 纸，在工控计算机模式下，按<F3>键做条纹测试。

3）观察条纹测试状态，确认打印头未出现大面积堵塞（连续超过 15 条打不出）。

4）用幻灯纸检查打印头与工作台之间的间隙，间隙过小需重新校准工作台零位高度。

5）显示器切换至外部计算机，在 Objet studio 软件中导入 STL 文件。

6）正确摆放工件位置，选择合适的支撑方式，单击 build 按钮上传加工文件。

7）显示器切换至工控计算机，按红色制作按钮开始制作。

3. 暂停、继续操作和取消加工

1）在 Objet studio 软件中，单击 Job Manage 标签下的 Stop 按钮可停止当前任务。

2）在 Objet studio 软件中，单击 Job Manage 标签下的 Resume 按钮可继续从打印停止的位置打印当前作业。

3）在 Objet studio 软件中，单击 Job Manage 标签下的 Restart 按钮可重新开始当前任务。

4）在 Objet studio 软件中，单击 Job Manage 标签下的 Delete 按钮可从队列中移除选中的作业。

4. 关机

（1）短期关机（少于 10 天）

1）显示器切换至工控计算机，在 Option 菜单中选择 Shutdown，在打开的向导屏幕中单击 Next 按钮，选择 Up to 10 days 选项，再次单击 Next 按钮。

2）向导屏幕出现 Shutdown in Progress，开始进入关机程序，当出现 Shutdown Procedure Completed，单击 Done 按钮完成。

3）在 Maintainance 菜单中选择 Motor Control 对话框，手动降低工作台，用酒精对打印头进行清洁，完成清洁后单击 Home All 回零。

4）关闭工控计算机，关闭外部计算机，以及关闭打印机后面的电源开关。

（2）长期关机（超过 10 天）

1）显示器切换至工控计算机，在 Option 菜单中选择 Shutdown，在打开的向导屏幕中单击 Next 按钮，选择 More than 10 days 选项，再次单击 Next 按钮。

2）向导屏幕出现 Shutdown in Progress，开始进入关机程序，当出现 Shutdown Procedure Completed，单击 Done 按钮完成。

3）在 Maintainance 菜单中选择 Motor Control 对话框，手动降低工作台，用酒精对打印头进行清洁，完成清洁后单击 Home All 回零。

4）关闭工控计算机，关闭外部计算机，以及关闭打印机后面的电源开关。

四、SLS/SLM 类型设备的操作

SLS/SLM 类型增材制造设备的典型操作流程如图 6-32 所示。

图 6-32　SLS/SLM 类型增材制造设备的典型操作流程

1. 装载粉材及调整刮刀

SLS 与 SLM 工艺中使用的是粉末状塑料或金属材料，将粉材倒入设备成型仓后，使用刮刀将粉面刮平，随后激光头射出激光将粉末烧结或熔融。粉末的品质以及刮刀的安装会显著影响打印结果，因此，在每次打印前都必须重新装载粉材，并校验和调整刮刀的位置。

SLS 与 SLM 类型设备中都设有专门储存粉末的储粉仓。理论上来说，在前一次打印中没有被烧结或熔融成型的粉末是可以被循环反复使用的。但是在实际生产中，有些靠近制件的粉末小颗粒由于离高温区较近，会凝结成为大颗粒，粉末颗粒直径过大会严重影响成型件的质量，所以必须予以筛除。以 18Ni300 材料为例，必须确保颗粒直径小于 0.08mm，所以无论是装入新粉，还是把回收仓中的粉末再次倒入，都必须使用孔径 0.08mm 的筛网进行过滤（图 6-33）。

此外，刮刀的校准也是每次打印前必须要完成的动作，图 6-34 所示为调整工作台面与刮刀的间隙。3D 打印件的分层厚度对制件品质以及生产率影响巨大，在制件前需要校正并调整托盘水平度以及刮刀间隙。托盘不水平、刮刀间隙不均匀、不合理，会导致制件成型层厚有误差，严重时甚至可能导致在打印中刮倒成型件。以 0.04mm 切片厚度的制件为例，在开始加工前，需要通过百分表校正与调整，确保托盘平面度误差小于 0.02mm，刮刀与托盘间隙值均为 0.05mm。

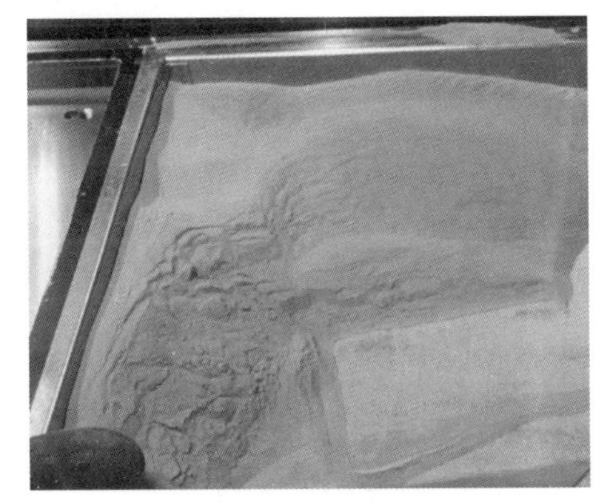

图 6-33　使用滤网筛粉

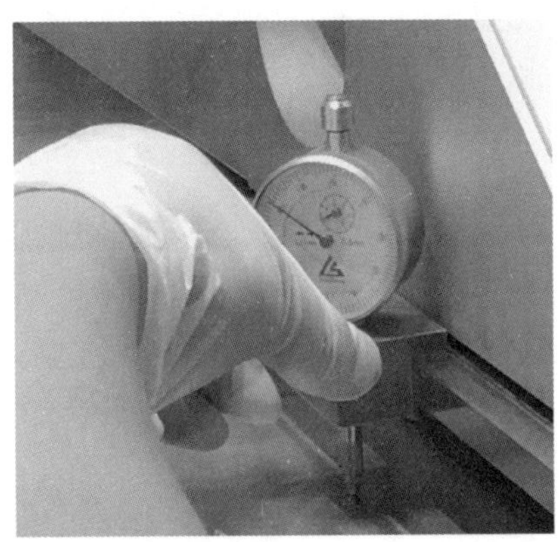

图 6-34　调整工作台面与刮刀的间隙

2. 导入层片文件

SLS 和 SLM 类型的设备在数据导入方面与其他类型的设备有所不同，它们一般都不具备直接识别 STL 格式模型文件的能力，需要导入中间格式的层片文件，常见格式有 CLI、SLC 等。

所谓层片文件，其实是三维模型和加工程序之间的一个中间文件。以 CLI 文件为例，它是一种专门为了解决 STL 格式文件接口问题而开发的文件格式，CLI 文件是利用层、轮廓线、填充线等几何元素来进行形状描述，通过一系列在高度上有序的二维层面（采用多边形为基本描述单元）叠加而成的三维实体模型，每一层都由内、外轮廓线构成，并且有一定的厚度。通常，CLI 文件是 STL 文件进行分层处理后的文件格式。

三维模型转换成加工程序分为两步：首先是将整体三维模型切片分层，转换为若干二维图层的叠加状态；然后根据设备配置、产品质量要求等情况将其转换为含有工艺参数信息的加工程序（图 6-35）。在第一步中，数据形态虽然发生了转变，但其并不包含针对具体设备、具体产品的工艺参数信息，而到了第二步，文件中才增加了如激光频率、扫描速度等加工工艺参数信息。

将模型数据转换为层片文件的操作可使用如 Magics 这类专用软件完成。在软件中设置好制件的摆放方式，自动或手动添加支撑结构后，进行切片分层并导出所需的层片文件。最后，将层片文件导入到 SLS/SLM 设备即可进行后续操作。

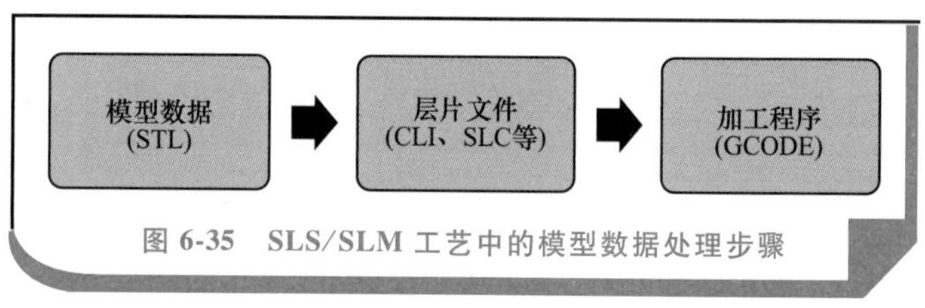

图 6-35 SLS/SLM 工艺中的模型数据处理步骤

3. 执行打印及取下制件

在设备中导入层片文件后，可以通过设备内置的软件来设置加工工艺参数（图 6-36）。一般 SLS/SLM 设备会内置一些工艺参数包，不同参数包中设置了不同激光占空比值、烧结进给速度等参数组合，根据产品实际使用需求来选择，可得到力学性能完全不同的制件。通常会为制件本体和支撑结构选择不同的工艺参数，确保打印完成后便于去除支撑结构。

后续操作比较简单，只需按操作规程完成面板操作即可。不过在使用 SLS/SLM 设备时，还需要注意两点：提前关闭成型仓门后填充惰性气体、保持工作场所通风环境。

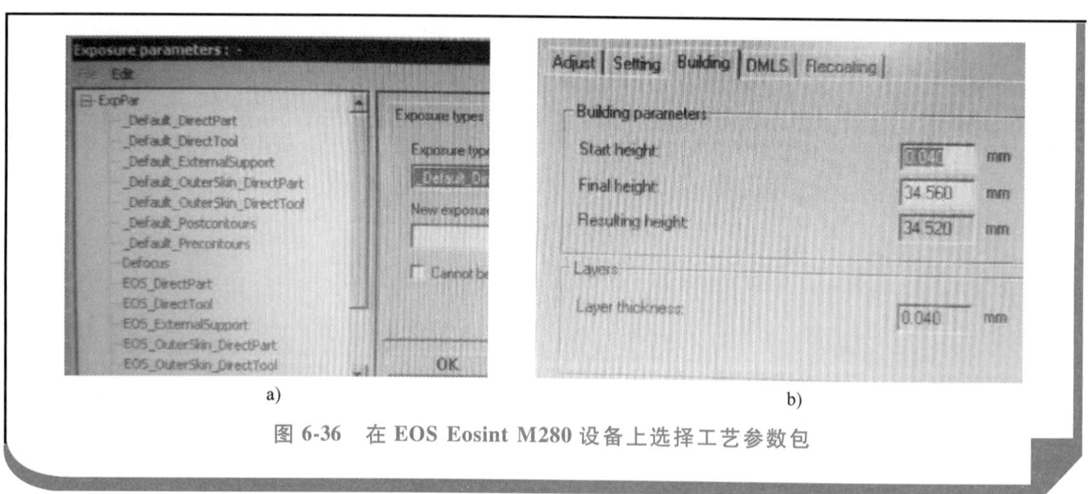

a) b)

图 6-36 在 EOS Eosint M280 设备上选择工艺参数包

1）氮气、氩气等惰性气体作为保护性气体，在激光烧结熔融的过程中，对于产品成型质量起到非常重要的作用。成型仓充满惰性气体后，氧气含量变得极低，可以有效防止烧结部位暴露氧化；同时氮气可以较好地减小等离子体云的形成，并将激光对熔池持续辐射而在熔池上部产生的等离子体云吹散，使得制件成型均匀美观。通常，打印前需要密闭成型仓门几小时甚至十几小时以上，使得内部惰性气体含量达到99%以上，才可以开始打印工作。

2）摆放SLS/SLM设备的场所一定要保持良好的通风。因为小颗粒粉末扬尘的原因，如果摆放设备的房间没有良好的通风，则空气中的粉末浓度达到一定值时会有爆炸的危险，并且这样的环境对身处其中的操作人员的身体健康也有极大影响。操作SLS/SLM设备时，操作人员务必需要做好防护措施，佩戴防尘口罩、护目镜、手套等防护用具（图6-37）。

完成打印后，即可取下制件。SLS/SLM制件的材料分为塑料和金属两大类，取下的方式也有所区别。对于尼龙等塑料制件，使用铲刀等辅助工具将制件手工取下即可；对于金属材料制件，由于在激光烧结熔融的过程中，制件底面会与下方金属托盘紧密烧结在一起，因此必须使用专门的工具将金属件切割下来。当底部接触面很小时，可以使用手持式切割机进行切割；当接触面较大时，则需要使用电火花线切割机床将制件割下。

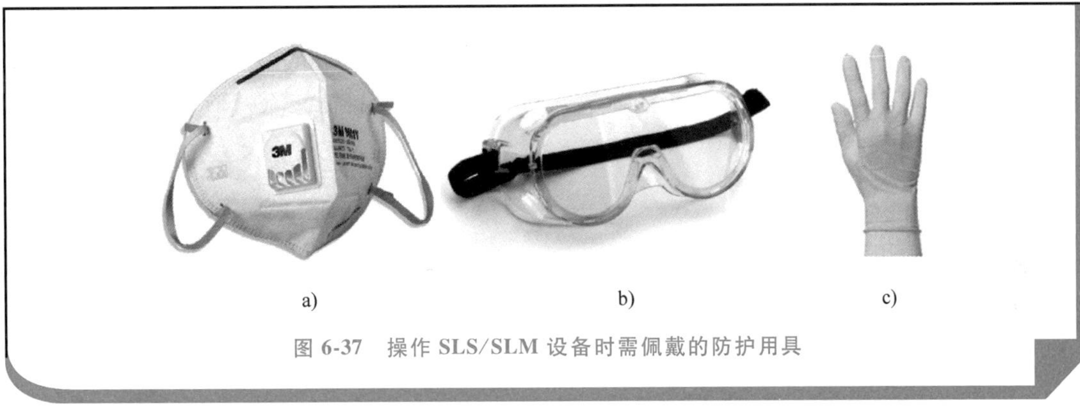

a) b) c)

图6-37 操作SLS/SLM设备时需佩戴的防护用具

4. 吹净制件及去除支撑材料

SLS/SLM制件是从成型仓的粉堆中取出的，因此其表面以及内孔中会附着、充满粉末颗粒。取下制件后一定要倾倒出制件中残存的粉末（图6-38），并第一时间利用气枪等工具将残粉颗粒吹掉，否则一旦遇水或受潮，粉末会变得难以清除。

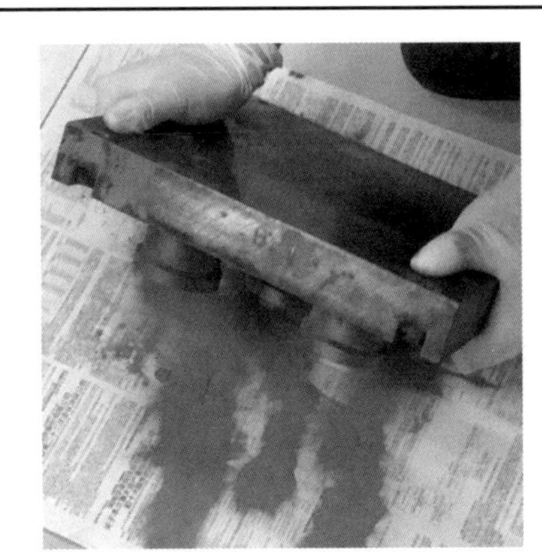

图6-38 清除SLS/SLM制件表面及内孔中的粉末

支撑材料的去除方式与其他类型的3D打印方式基本相同。对于金属制件，由于其支撑结构也是金属材质，因此可借助各类电动、气动工具予以去除；金属制件表面上的切口痕迹可通过砂纸、磨头等工具进行打磨。

阅读材料

设备型号：德国 EOS M 280

工艺类型：SLS

M 280 设备操作规程

1. 开机

1）打开总电源开关。

2）打开设备电源开关。

3）设备主控机打开后，打开 PSW 控制程序，进入操作界面。

4）打开压缩空气开关，供给设备压缩空气，根据成型仓的粉末选择合适的惰气（A 类用氮气，B 类用氩气）。

5）打开冷水机电源开关，检查冷水机液位。

6）选择合适的过滤箱，开始往过滤箱充入惰气。

2. 工作仓准备

1）将供粉仓向下移动 150mm，放上筛网，插上防静电插头，然后缓慢倒入粉末筛粉，大颗粒粉末用吸尘器吸除，B 类粉末不能直接用吸尘器吸，先用毛刷扫除后，拿出筛网，再用吸尘器吸除微量粉末。

2）用铲刀插压筛好的粉末，排出粉末中的空气，将粉末压实铺平。

3）清洁工作台面，然后用酒精将工作台面擦干净。

4）新的基板进行消磁、除油，擦干净后将基板放入工作台面，安装固定螺钉（根据基板厚度选择合适的螺钉），不能锁紧；开始给基板预热，根据不同材质的基板，选择不同的预热温度，预热温度达到后锁紧工作台。

5）调整工作台水平度，先将工作台升至最高，然后降低厚度 0.5~3.5mm，将刮刀移至工作台右边，放入百分表，调整 *Y* 向水平度（用机器前面的微调按钮，或者 PSW 控制界面的微调按钮），*Y* 向调好后，将百分表移至刮刀前端，关闭仓门，调整 *X* 向水平度（用控制界面的刮刀移动按钮左右移动刮刀）。

6）调整基板与刮刀之间的间隙，将刮刀移至基板左端，用塞尺分别测量刮刀前、中、后三点，然后将工作台向上移动固定距离（距离由塞尺测量得出），调整基板与刮刀间隙小于 0.05mm。

7）预铺粉，将刮刀移至最右端，把供粉仓向上移至刮刀以下 1cm 左右位置，然后以每次 1mm 向上移动，手动来回移动刮刀铺粉，直至供粉仓粉末平整为止，将刮刀移至工作仓最左端，在基板表面均匀铺一层粉（如有刮擦，将工作台下移 1 层，供粉仓上移 3 层，再铺粉一次）。

8）清理镜片，旋下导流板，擦镜纸 4 角对折，用酒精从镜片中间向周边绕圈擦镜片，再用干的擦镜纸 4 角对折擦干镜片，再装回导流板。

9）装排风管，然后关闭仓门。

10）成型仓开始充惰气，材料不同，含氧量要求有所不同。

3. 更换过滤箱

1）打开过滤器仓门，拆开连接管，软管拉出用外部连接头固定，过滤箱盖用内部连接头盖住。

2）打开上下箱体连接扣，把手动升降车缓慢推入，卡住过滤箱再慢慢移出，放入过滤箱托盘（不能拔掉箱体连接的除静电电线）。

3）A 类材料用 F9 大箱，加水 6L，B 类材料用 F9 小箱。

4）底部用 H13 过滤箱，A 类、B 类材料更换时，需要同时更换上下层过滤箱。

5）加入水后拔掉除静电电线，更换新的过滤箱，新的过滤箱装好后插上除静电电线。

6）安装连接软管。

7）过滤器顶部过滤网每年维护时更换一次。

4. 更换新粉

1）更换新粉时，需要将设备里面的粉末彻底清除干净。

2）先把供粉仓和回收仓的粉末清理出来放回储存桶，把三个仓都升至最高处，用毛刷把剩余粉末清扫出来，用吸尘器吸除残留的少量粉末。

3）打开三个仓的顶部盖板，吸除内部的残余粉末，装回盖板。

4）打开吹气孔罩，清除内部残余粉末，用吸尘器吸干净，再装回吹气孔罩。

5）更换合适的刮刀，拆刮刀需从两边向中间依次拆下螺钉，装的时候应从中间向两边依次安装，但不要锁紧，用力矩扳手最后依次锁紧。

5. 关机

1）旋转钥匙关闭激光器。

2）按下“关机”按钮，等待控制面板绿屏后，关闭机器侧面电源开关。

3）关闭电源。

五、其他类型设备的操作

除前文提到的三大类增材制造设备，还有一些其他类型的设备。由于在实际生产中应用并不广泛，下面仅做简单介绍。

1. 3DP 设备操作

常见的 3DP 设备可分为全彩 3D 打印机及砂模打印机两类。

全彩打印使用的耗材为白色石膏粉末和彩色墨水（同时也作为黏结剂）；砂模打印则是使用砂粒和黏结剂。使用前检查耗材情况，添加好所需粉末、砂粒和黏结剂。随后，将模型数据导入设备，若需打印彩色制件则需要导入彩色 STL 文件或“OBJ+JPG”这类带贴图的模型数据文件。导入数据后通过配套软件转化加工程序，之后即可操作设备面板启动打印。

图 6-39 吹除彩色 3DP 制件表面粉末

完成打印后，将制件取出并吹去多余粉末或砂粒（图 6-39）。考虑到这类制件结构并不牢固，经常还需要对 3DP 制件进行加固处理，常用的手段有把制件浸泡在胶水中或者放入炉中加热 1~2h。

2. LOM 设备操作

LOM 设备常用的耗材是涂有热敏胶的纤维纸，由于其材质的特殊性，打印出的制件在性能和质感上类似于木材。设备使用前，需要确认纸的情况，如有需要及时更换耗材。随后，与其他设备类似，导入并处理模型数据，操作 3D 打印机开始打印（图 6-40）。

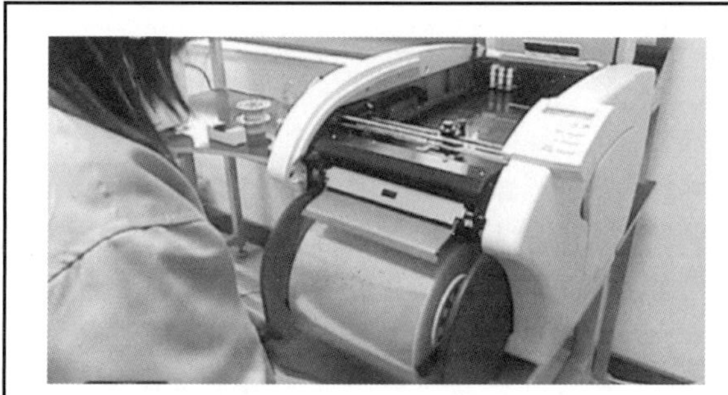

图 6-40 使用 LOM 设备进行打印

完成打印后，对 LOM 制件需要剥除支撑材料和进行防潮处理。LOM 制件的支撑材料其实就是一层层纸，使用镊子可以把多余的材料逐层剥开，其过程有点像剥洋葱。此外，考虑到大多数 LOM 设备都使用纸张作为其原材料，因此在打印完成后需要使用砂纸对其进行打磨，并用密封漆来进行防潮处理，否则打印件很容易被水渗透而产生变形。

阅读材料

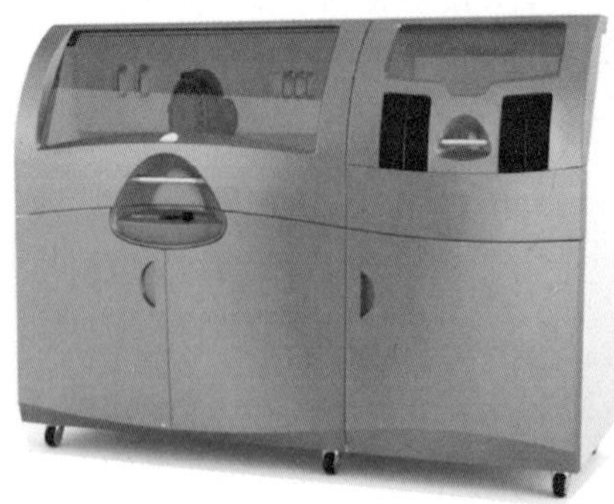

设备型号：美国 3D Systems iProJet 660Pro

工艺类型：3DP

ProJet 660Pro 设备操作规程

1. 基本操作

1）打开 UPS、机器电源，机器处于 GO ONLINE 状态。打开计算机应用软件，使计算机与机器连接。

2）在机器上单击 PERP BULID CHAMBER 按钮准备打印，查看各种胶水是否需要添加。返回主菜单单击 BULID CHAMBER 按钮，选择 FILL BED 自动铺满粉，铺好之后单击 VACUUM（真空吸）按钮，开启成型仓把工作仓两边溢出来的粉末吸回料仓。用布把辊轴的粉尘擦干净。关好机门使机器界面处在 GO ONLINE 状态。

3）在计算机导入需要打印的零件模型，调试好所需要的高度、比例、颜色、摆放位置等，开始打印。

4）打印好零件之后在工作仓烘干 1.5h，单击 VACUUM（真空吸）按钮吸尘把零件取出放入后处理，在 POST PROCESS MENU 中选择过滤器 POST PROCESS FILTER，把零件上的粉尘处理干净。

5）把零件放入倒入胶水的容器里渗透 2~3min，取出用吸油纸把多余的胶水吸附干净，放在油纸上，此时打印处理结束。

2. 基本排故与保养

1）定期检查材料是否充足，不满时需及时添加。

2）定期检查打印头，是否需要更换，在打印测试时如有飞墨则用酒精把打印头清洗干净；如还有飞墨，则需要更换打印头。

3）定期检查废料盒是否满仓。

4）铺粉时铺不满，需要做铺粉计算，然后重启设备。

5）设备长时间不使用可能使得粉料受潮，需要把后处理仓中的粉烘干几次。

6）定期对设备的快轴、慢轴、*Z* 轴定时给予加油润滑，及时将辊轴、打印头、*Z* 轴、过滤网上的粉尘颗粒清洁干净。

7）完成打印后打扫工作台，后处理仓的粉尘清理干净，工具摆放整齐，保持机器干净整洁。

思考与练习

1. 增材制造的一般工作流程是什么？
2. FDM 类型设备的典型操作流程是什么，在使用中有哪些注意要点？
3. SLA/DLP/PolyJet 类型设备的典型操作流程是什么，在使用中有哪些注意要点？
4. SLS/SLM 类型设备的典型操作流程是什么，在使用中有哪些注意要点？

第七章

事预则立——增材制造模型数据预处理

学习目标

1. 了解增材制造模型数据预处理的作用及一般流程。
2. 熟悉进行模型数据预处理的常用软件。
3. 掌握对三维模型进行检测修复、编辑优化，摆放零件与设置支撑的操作方法。

模型数据预处理是在准备好模型数据和将三维模型导入 3D 打印机这两步之间必不可少、非常重要的中间环节。它主要包含对模型数据的检测修复、调整优化模型结构、摆放模型与设置支撑等内容。要完成上述这些操作，需要用到专用的 3D 打印预处理软件。例如，要完成模型的检测与修复，可以使用 Netfabb、Meshfix、Meshmixer 等软件；要编辑 STL 模型，可以使用 Magics、MeshLab 等软件；要将模型进行切片处理，可以使用 Cura、EasyPrint 3D、Slic3r 这类开源切片软件，也可以使用 3D 打印设备厂商配套开发的专用软件。

Materialise 是一家历史悠久且相当知名的公司，提供各种 3D 打印软件处理方案和 3D 打印服务。Materialise Magics（图 7-1）是一款功能强大、模块完善的 3D 打印集成化处理软件。本章将结合 Magics 软件，介绍对 STL 模型进行检测修复、编辑优化，摆放零件与设置支撑的基本操作方法。

图 7-1　Materialise Magics 软件

一、模型数据的检测与修复

1. 模型的常见错误与影响

STL 是 3D 打印数据模型最常见的格式，虽然 STL 格式的数据模型可以被大部分 3D 打印机直接识别，但在实际生产中由于 STL 数据经常会存在错误，所以很可能导致打印机识读过程中，甚至打印过程中产生问题，因此需要在将 STL 数据导入打印机前进行检测与修复。

STL 文件由多个三角面片的定义组成，每个三角面片的定义包括三角形各个顶点的三维坐标及三角面片的法向量。当三维模型被保存或被转换为该格式后，所有表面和曲线都会被网格状所取代，网格由一系列的三角形组成，如图 7-2 所示。由于 STL 文件结构简单，

缺少几何拓扑上要求的健壮性，同时也由于一些三维造型软件在三角形网格算法上的缺陷，生成的 STL 数据常常会存在一些问题。

一般来说，SLT 数据模型常见的错误类型有以下几种：

（1）三角面片法向错误　一部分三角形的顶点次序与三角面片的法向量不满足规则（图 7-3）。简单来说，就是构成 STL 模型的三角面片是有正反面的，正确的情况应该是所有面片的正面向外，而产生错误的面片就会反面朝外，这是由于生成 STL 文件时，顶点顺序的混乱导致外法向量计算错误。这种错误或许不会造成以后的切片和零件制作的失败，但是为了保持三维模型的完整性，必须加以修复。

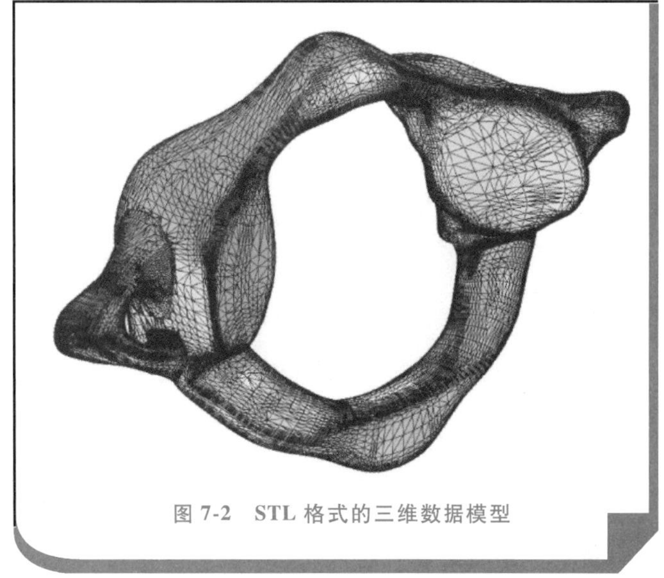

图 7-2　STL 格式的三维数据模型

（2）孔洞　STL 模型用于 3D 打印有一个基本的要求——水密性，即完整无破孔的。而存在孔洞的模型则不具备水密性，俗话说就是“模型是破的”（图 7-4）。这主要是由于三角面片的丢失引起的。当 CAD 模型的表面有较大曲率的曲面相交时，在曲面相交部分会出现丢失三角面片而造成孔洞。这是 3D 打印中一种常见的、也是必须解决的错误。

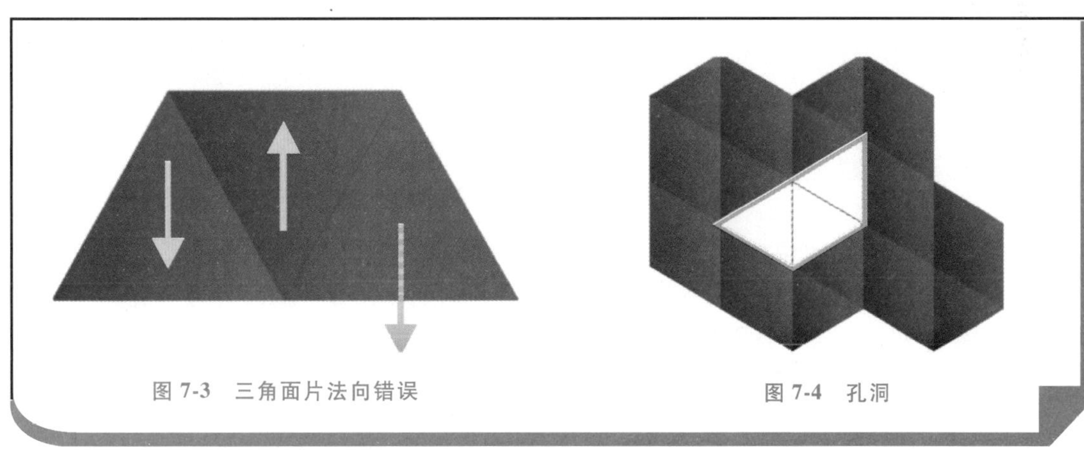

图 7-3　三角面片法向错误　　图 7-4　孔洞

（3）缝隙　缝隙是三角面片边缘没有闭合的一种情况（图 7-5）。缝隙通常是由于顶点不重合引起的，缝隙和孔洞都可以看作是三角面片缺失产生的，缝隙的形状相比孔洞显得狭长，从结果上来看它们都会破坏 SLT 模型的水密性。

（4）多壳体　壳体的定义是一组相互正确连接的三角形的有限集合（图 7-6）。很多时候一个正确的 STL 模型只有一个壳。存在多个壳体通常是由于零件造型时没有进行布尔运算，结构与结构之间存在分割面；此外，有些 STL 文件可能存在由非常少的面片组成、表面积和体积约等于零的干扰壳体，这些壳体没有几何意义，可以直接删除。

多个壳体之间不一定相互分离，也会发生相互交叠的情况，进而衍生出重叠壳体、重叠三角面片、交叉三角面片等问题。

图 7-5 缝隙

图 7-6 多壳体

以上这些问题常常存在于直接光学扫描、下载获取且未经处理的 STL 模型数据中，采用工业级三维 CAD 软件导出的 STL 数据情况较好，但偶尔也会出现此类错误。这些错误会影响到后续的模型切片、转换加工程序等环节，进而影响正常 3D 打印生产。因此，在进行后续操作前，使用 Magics 软件对 STL 数据模型进行检测并完成所需修复工作是十分有必要的。

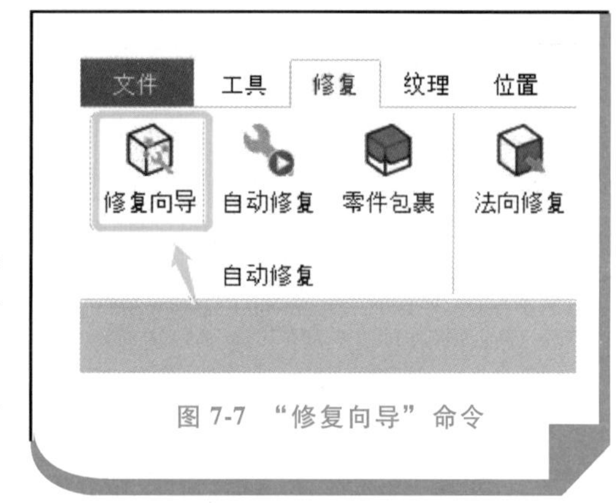

图 7-7 “修复向导”命令

2. 模型错误的检测

Magics 软件功能完备，它对 STL 文件的检测与修复功能非常强大，操作也非常简单。

导入 STL 模型后，在“修复”模块中单击“修复向导”按钮（图 7-7），会弹出“修复向导”对话框（图 7-8）。在对话框中依次单击左上方“诊断”按钮与右下方的“更新”按钮，在诊断页面中即会显示出当前模型中存在的各类错误（图 7-9）。

3. 修复模型

当检测结果显示模型中存在错误时，就需要使用修复功能对模型进行修复。

在判断模型是否需要修复时，一般需要保证“反向三角面片”与“坏边”这两项数值为零；“壳体”数量为实际需要打印的制件数量；“重叠三角面片”与“交叉三角面片”这两项数值为零最好，但如果经反复修复后仍不为零，也可以放弃修复这两项错误。

修复操作可使用自动修复或手动修复两种方式。

（1）自动修复 自动修复是比较方便也是最为常用的修复方式，它能够快速、高效地修复绝大部分模型中的错误。自动修复分为两种，一种是对于所有类型错误的一次性整体综合修复，还有一种是针对单一类型错误的自动修复。前者操作更为方便，而后者因为可以人为控制修复的顺序，所以只要合理操作，成功率会更高。

自动修复

采用一次性整体综合修复时，依次单击“修复向导”对话框中的“综合修复”按钮和“自动修复”按钮，软件即会对模型中所有错误进行综合修复（图 7-10）。

图 7-8　“修复向导”对话框

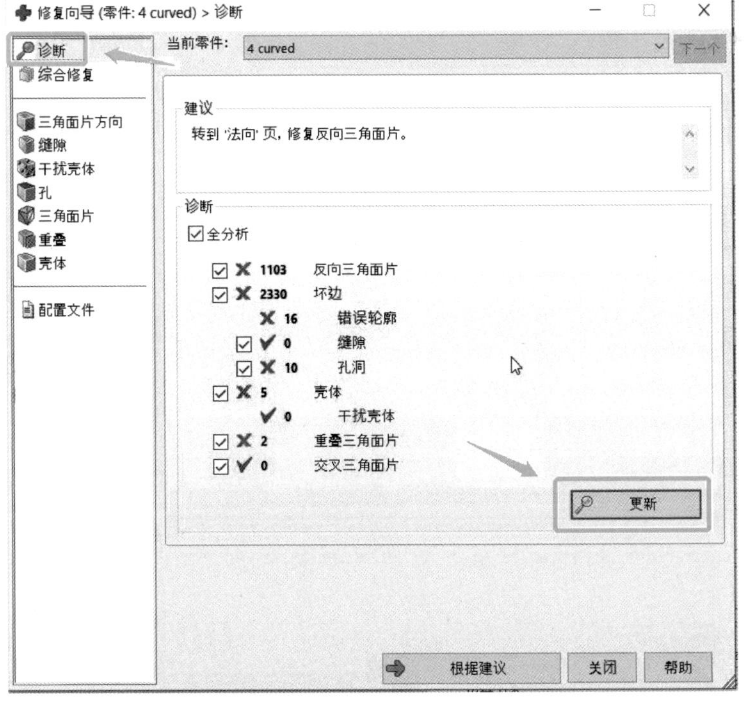

图 7-9　检测模型存在错误的情况

按错误类型分项修复时，可以单击对话框下方“根据建议”按钮，软件会自动跳转至某一项推荐修复的错误类型，也可以自行单击左侧的错误类型进行选择（图 7-11）。

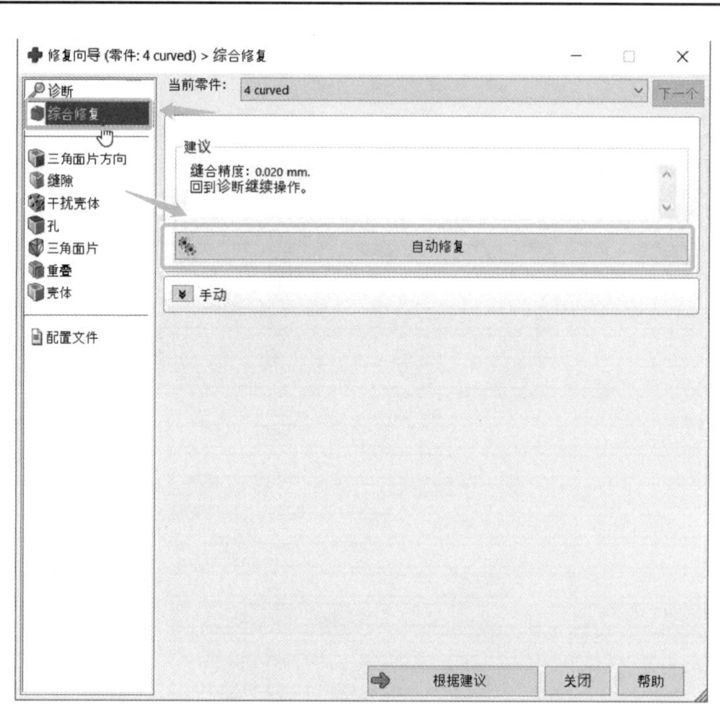

图 7-10　综合自动修复

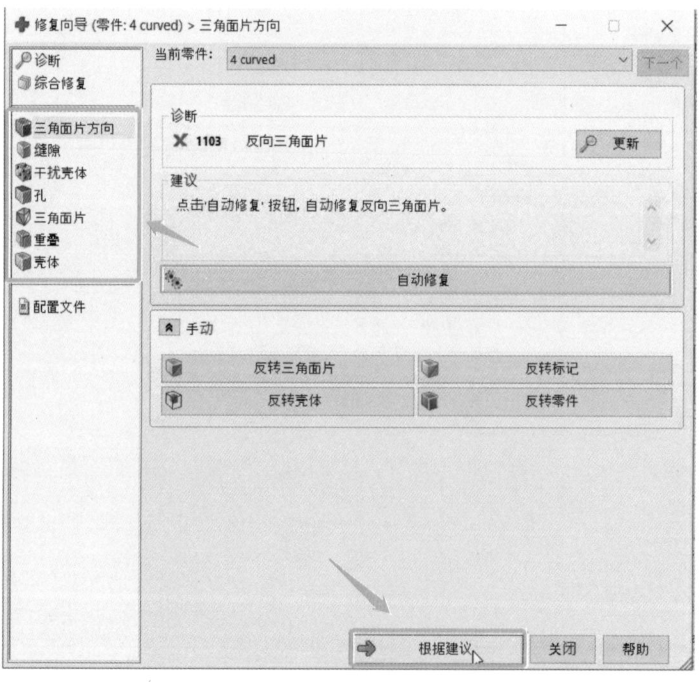

图 7-11　选择修复项目

接着单击单项错误类型中的“自动修复”按钮，则软件会单独修复该类型错误。修复完成后，单击“更新”按钮，即可显示修复后模型中该错误的数量（图 7-12）。

图 7-12　单项自动修复

重复执行上述操作，即可一一修复各种类型的错误。需要注意的是，修复错误并不是一蹴而就的，有时同一类型的错误会需要执行修复多次，有时一类错误的修复又会导致另一类错误的增加，因此，往往需要对各类错误进行来回反复的修复，才能获取合格的模型。

（2）手动修复　遇到反复自动修复也无法清除模型错误的情况时，就需要用到手动修复。在“修复向导”对话框中，单击某一错误类型后，再单击“手动”按钮，即会在对话框下方显示各类手动修复的工具（图 7-13）。

每一种错误类型都会有对应的一种或多种手动修复工具，可以根据实际情况进行选用。手工修复中包含：三角面片方向手动修复工具（图 7-14）、缝隙手动修复工具（图 7-15）、干扰壳体手动修复工具（图 7-16）、孔手动修复工具（图 7-17）、三角面片手动修复工具（图 7-18）、重叠手动修复工具（图 7-19）、壳体手动修复工具（图 7-20）。

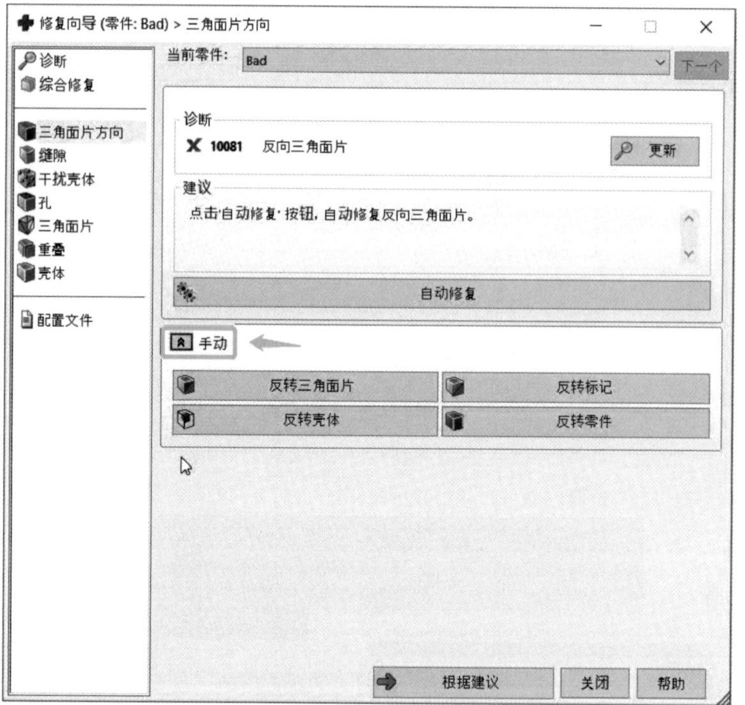

图 7-13 手动修复

手动修复-三角面片方向

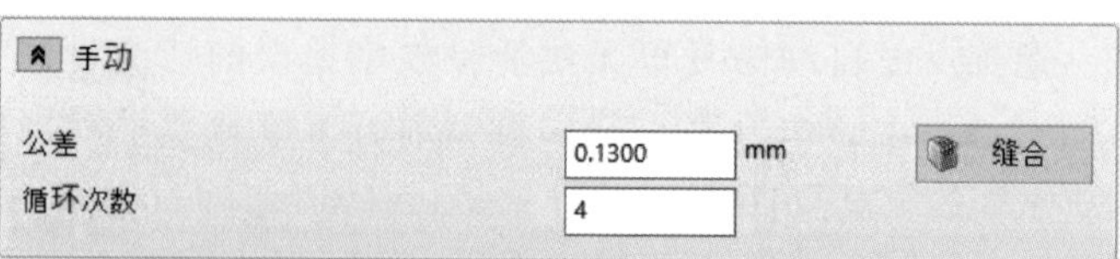

图 7-14 三角面片方向手动修复工具

手动修复-缝隙

手动
公差 0.1300 mm 缝合
循环次数 4

图 7-15 缝隙手动修复工具

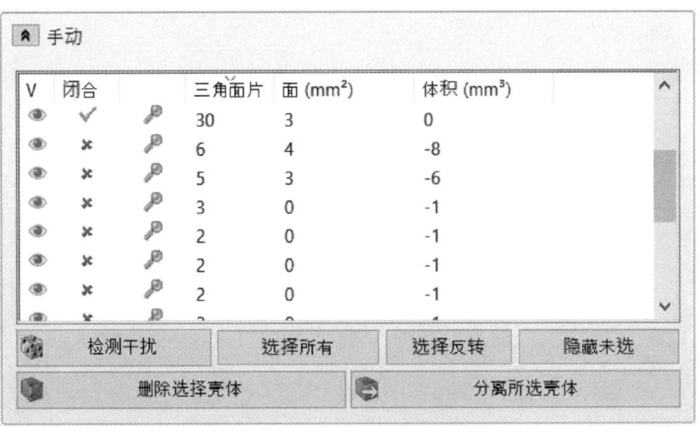

图 7-16　干扰壳体手动修复工具

手动
修复-干扰
壳体

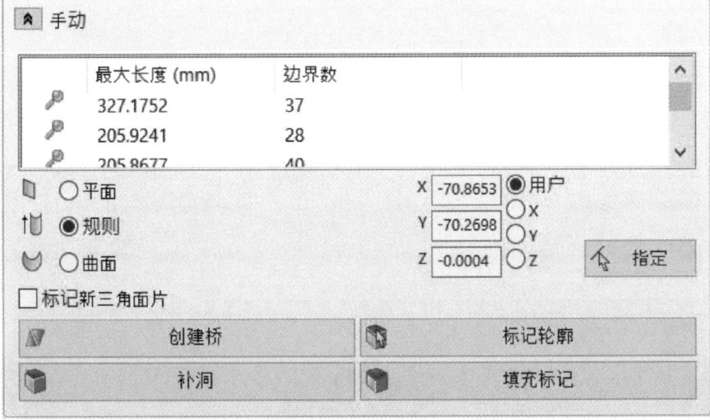

图 7-17　孔手动修复工具

手动
修复-孔

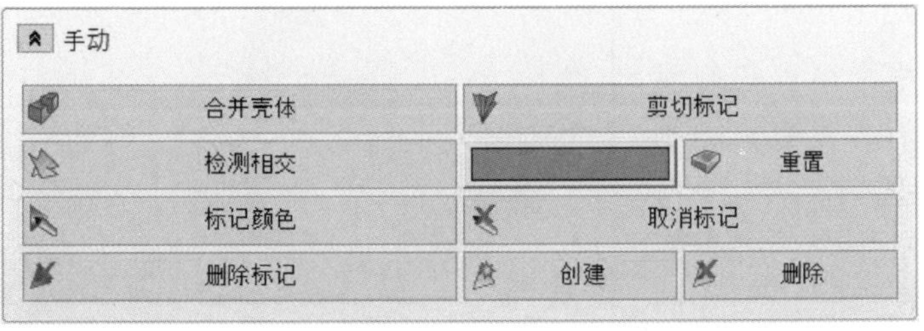

图 7-18　三角面片手动修复工具

手动
修复-三角
面片工具

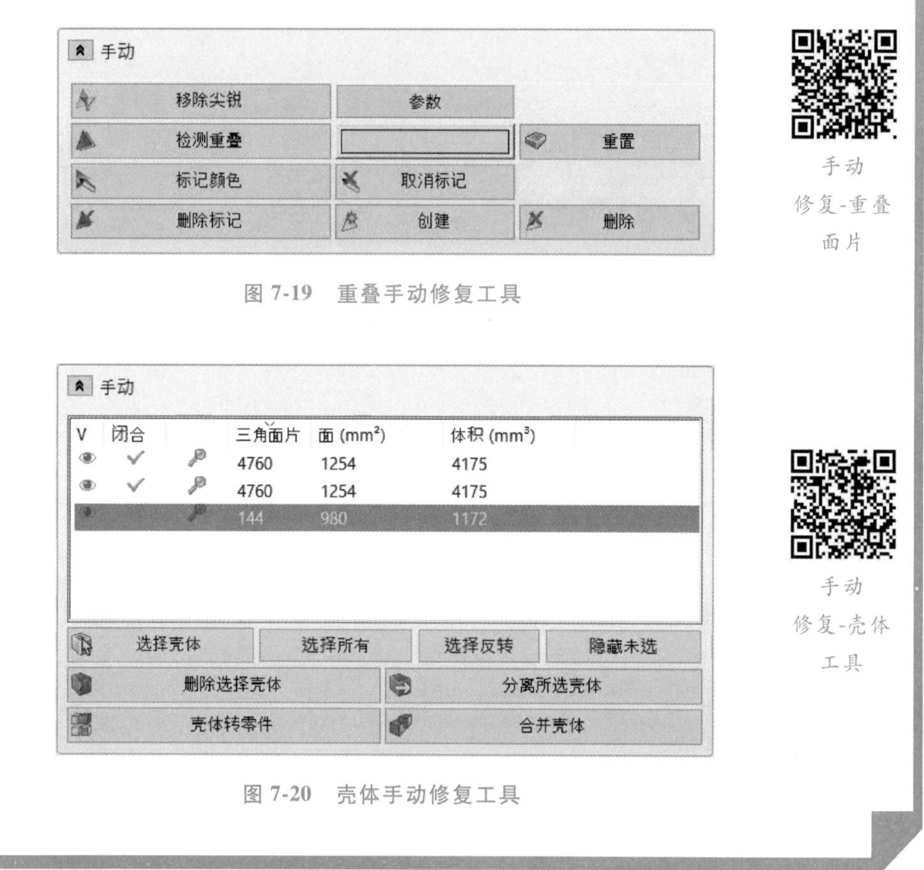

手动修复-重叠面片

图 7-19　重叠手动修复工具

手动修复-壳体工具

图 7-20　壳体手动修复工具

二、模型结构的编辑与优化

1. 无参数模型

三维模型分为参数模型和无参数模型两种，前者记录模型的关键特征参数值，后者记录模型节点的绝对参数值。以图 7-21 所示两个球体为例，左边球体通过圆心坐标、半径值便可表述，而右边的球体则需要描述成百上千个三角形面片顶点的空间坐标，而且表述的是拟合后的近似球体。

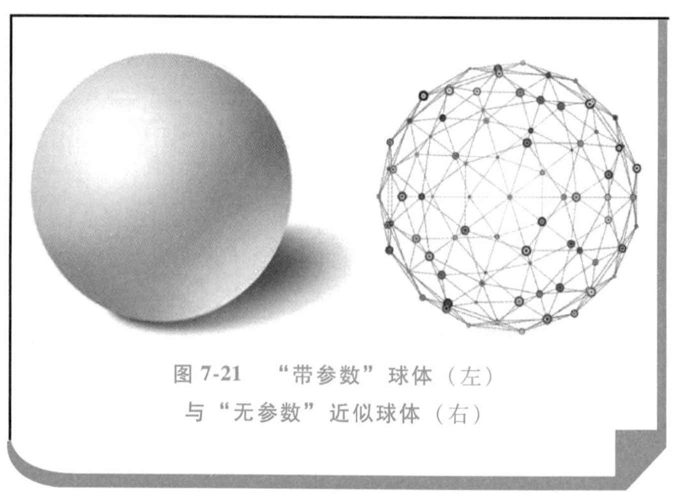

图 7-21　“带参数”球体（左）与“无参数”近似球体（右）

显然，参数模型可以很容易地被修改编辑，而无参数模型则很难进行灵活的编辑，因此 STL 格式的数据模型并不是一种很容易编辑的模型。然而在 3D 打印的实际生产中，往往需要对这样的网格数据模型进行编辑以及结构上的调整与优化。

2. Magics 软件的常用模型结构编辑功能

Magics 软件对于 STL 模型的结构编辑能力强大，可以实现其他三维 CAD 软件难以实现的编辑功能，从而达到对 STL 模型结构上的调整与优化效果。

下面简单介绍一些基本的结构编辑功能。

（1）平移、旋转、缩放

1）平移、旋转是最基本的模型移动操作（图 7-22）。选中模型后，单击“工具”模块中“平移”“旋转”按钮，即可打开对应操作对话框，在对话框中输入数值即可准确控制模型的平移距离与旋转角度。此外，还可以在主界面上直接拖动模型进行交互式平移/旋转，用于某些不需要精准移动模型的场合。

2）单击“缩放”按钮可以对选中的模型进行放大、缩小操作（图 7-23）。进行缩放时，既可以通过锁定比例进行 X、Y、Z 三个方向上的等比例缩放，也可以选择三个方向上不同比例的缩放。

图 7-22　“平移”“旋转”命令　　图 7-23　“缩放”命令

（2）布尔运算　当载入多个零件模型时，可以通过布尔运算对选中的模型进行求和、求差和求交操作。单击“工具”模块中的“布尔运算”按钮（图 7-24），即弹出“布尔运算”对话框（图 7-25）。

图 7-24　“布尔运算”命令

图 7-25　“布尔运算”选项

在未进行布尔运算前，可以看到各壳体间相互独立（图 7-26）。单击对话框中的“求和”按钮，可使选中的零件合并（图 7-27）；单击对话框中的“求交”按钮，可使零件仅保留相交部分（图 7-28）；单击对话框中的“求差”按钮，可使零件相减（图 7-29），需要注意求差存在“A 减 B”与“B 减 A”两种情况，要正确选择。

图 7-26 模型布尔运算前

图 7-27 模型布尔求和

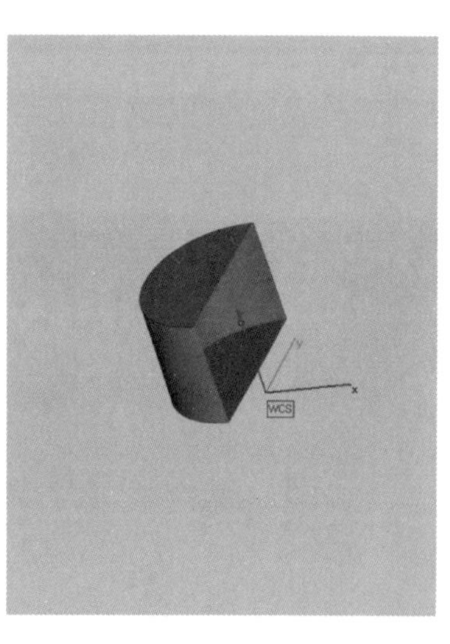

图 7-28 模型布尔求交

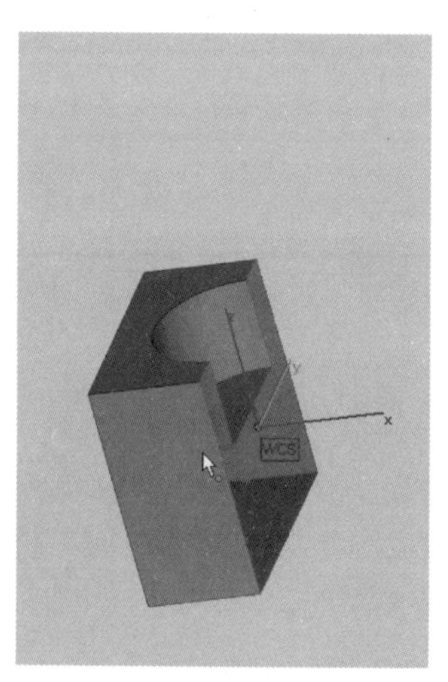

图 7-29 模型布尔求差

（3）镂空零件/抽壳 镂空零件是把模型内部镂空而仅保留外表面形状，并给予一定的厚度，类似于许多三维 CAD 软件中的抽壳功能。选用零件后，单击“工具”模块中的“镂空零件”按钮（图 7-30），即弹出“镂空零件”对话框（图 7-31）。

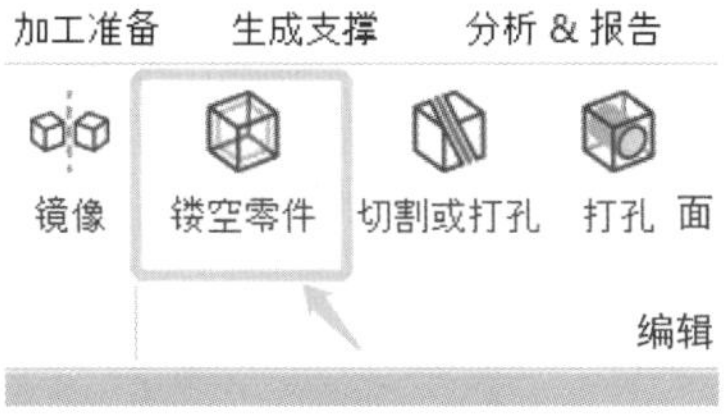

图 7-30　“镂空零件”命令

抽壳

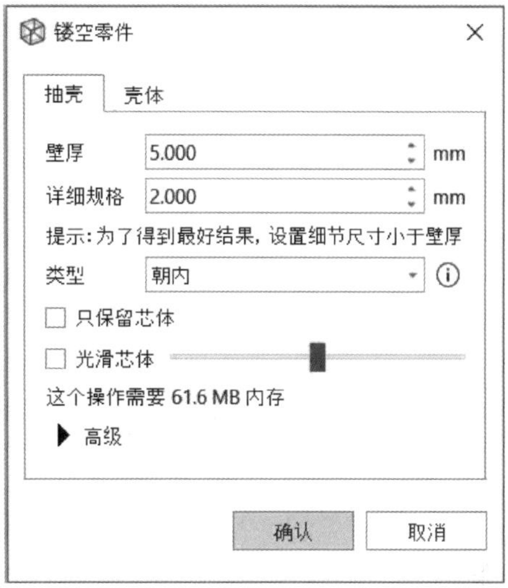

图 7-31　“镂空零件”对话框

在对话框中可设置“壁厚”与“详细规格”两项数值。壁厚值代表了抽壳后的壳体厚度，详细规格则有些类似于分辨率的概念，设置的数值越小则内部表面越精细，相应软件处理时间也会越长。此外，在“类型”选项中也可以选择朝内或是朝外抽壳，一般来说方向朝内的情况会多一些。在镂空前，零件仅存在外表面单一壳体（图 7-32），而在镂空后就会根据厚度生成一个内表面（图 7-33）。

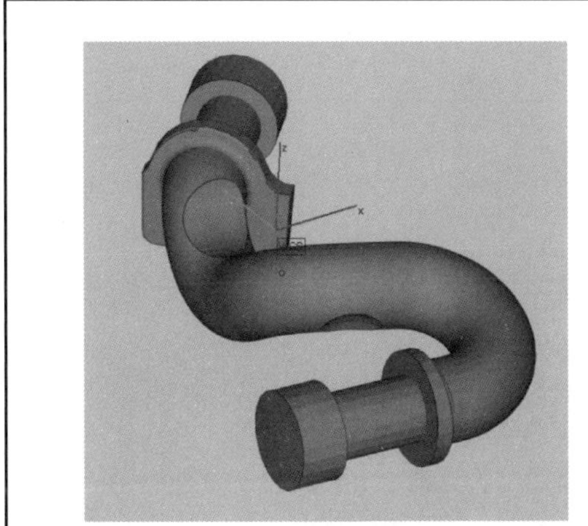

图 7-32　模型镂空前

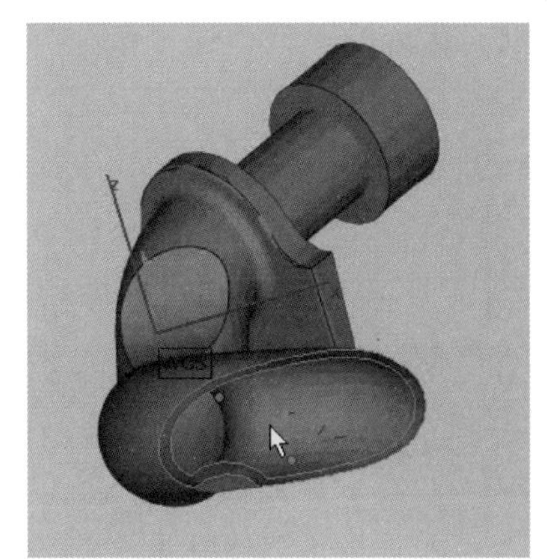

图 7-33　模型镂空后（截面图）

（4）打孔　当完成模型零件的镂空操作后，一般还需要对其再进行打孔，否则 3D 打印完成后，制件内部的材料将无法排出。选中零件后，单击“工具”模块中的“打孔”按钮（图 7-34），弹出“打孔”对话框（图 7-35）。

图 7-34 “打孔”命令

打孔

图 7-35 “打孔”对话框

在 3D 打印制件上打孔的形状一般为锥形，通过更改孔参数设置孔的几何尺寸，然后将光标移动至零件上，即可在零件表面手动选择打孔位置（图 7-36）。完成这些操作后单击“应用”按钮即可完成打孔操作。此外，如果勾选“保存删除部分”，则可以保留孔的盖子部分（图 7-37），以便于打印完成后把孔堵住，保留制件外观的完整性。

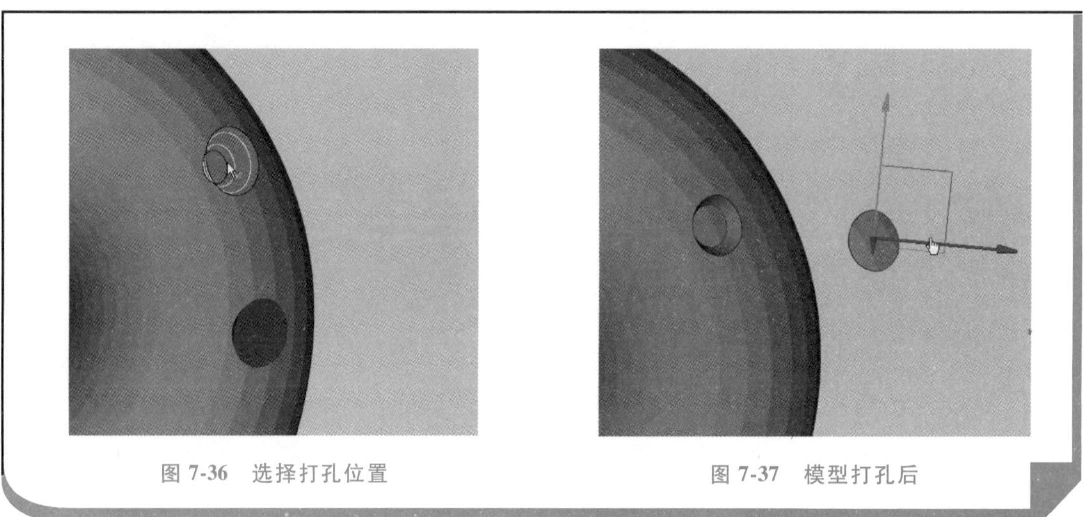

图 7-36 选择打孔位置

图 7-37 模型打孔后

（5）切割 切割功能可以将 STL 模型拆分为多个部分，对于打印超过设备最大成型尺寸的制件非常有用。单击“工具”模块中的“切割或打孔”按钮（图 7-38），即可打开

“切割或打孔”对话框（图 7-39）。

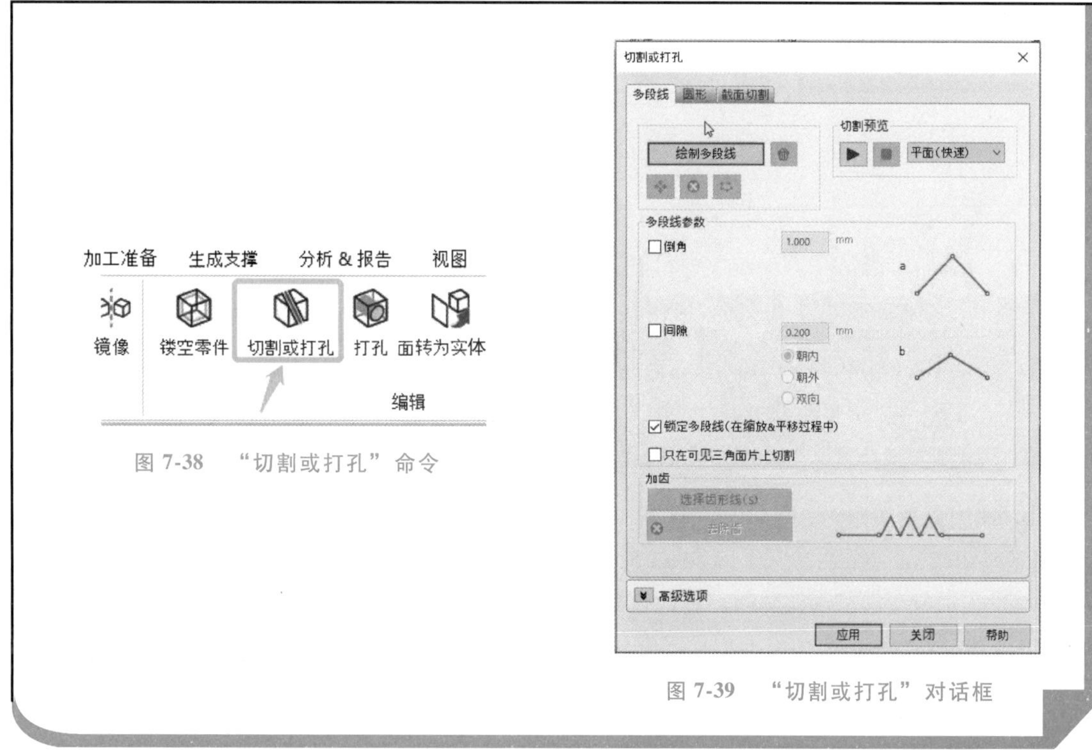

图 7-38　“切割或打孔”命令

图 7-39　“切割或打孔”对话框

对模型的切割可分为多段线切割、圆形切割与截面切割三种类型，下面分别介绍比较常用的多段线切割与截面切割。

1）使用多段线切割时，单击“绘制多段线”按钮，即可在模型上自行绘制多段线（图 7-40），之后再单击“选择齿型线”按钮，则可以在已绘制的线段上添加多种齿型(图 7-41 和图 7-42)。在切割线绘制完毕后，单击“应用”按钮,即可将模型按线条的形状进行分割(图 7-43)。

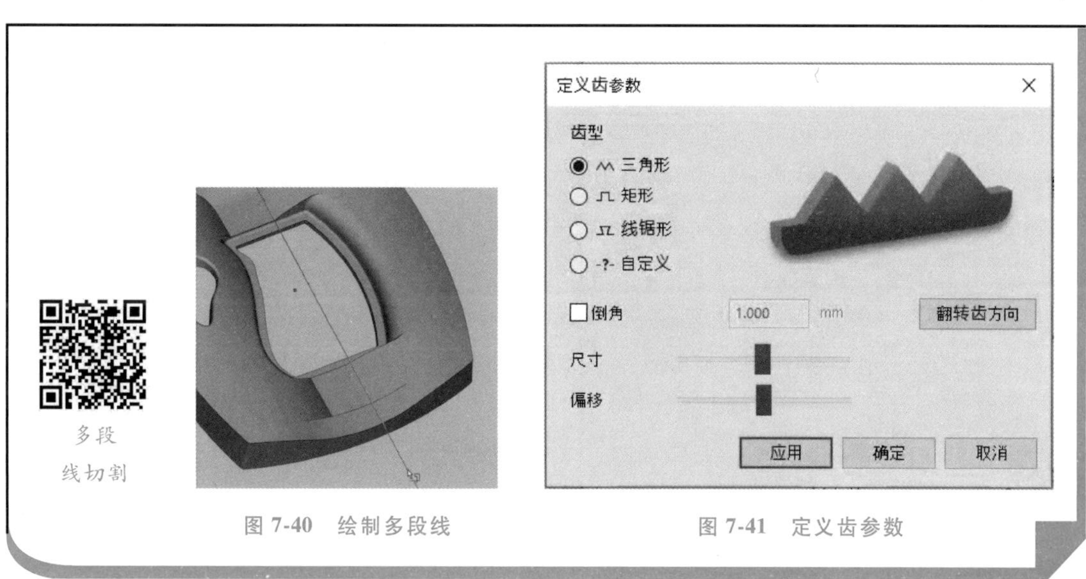

图 7-40　绘制多段线

图 7-41　定义齿参数

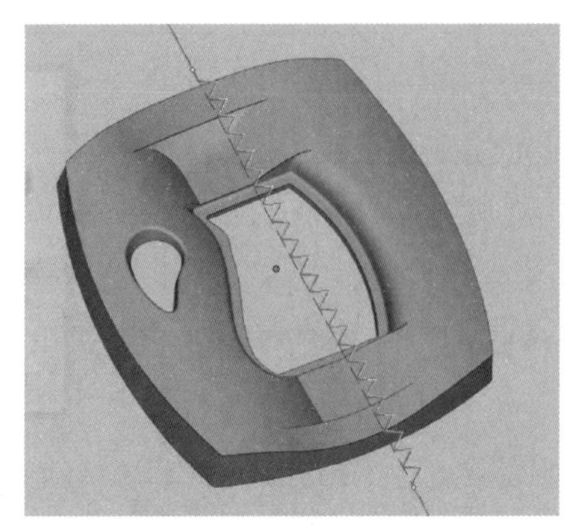

图 7-42 带有齿型的切割线

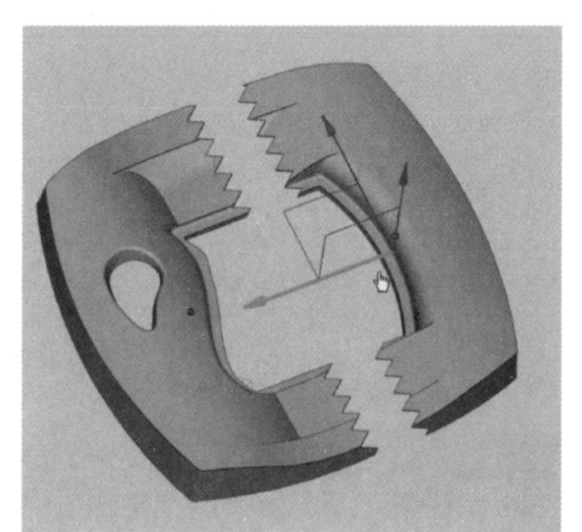

图 7-43 模型分割后

2）使用截面切割时，可以先在“切割截面类型”中选择“凸台结合”或“销型连接切割”，然后对应在下方设置凸台、圆柱销的几何参数（图 7-44 和图 7-45）。再指定一个切割用的截面，可以在视图工具页（图 7-46）中单击“多截面”选项卡，选中截面方向后，通过改变位置数值或拖动下方的滑块，确定截面的位置。

截面切割

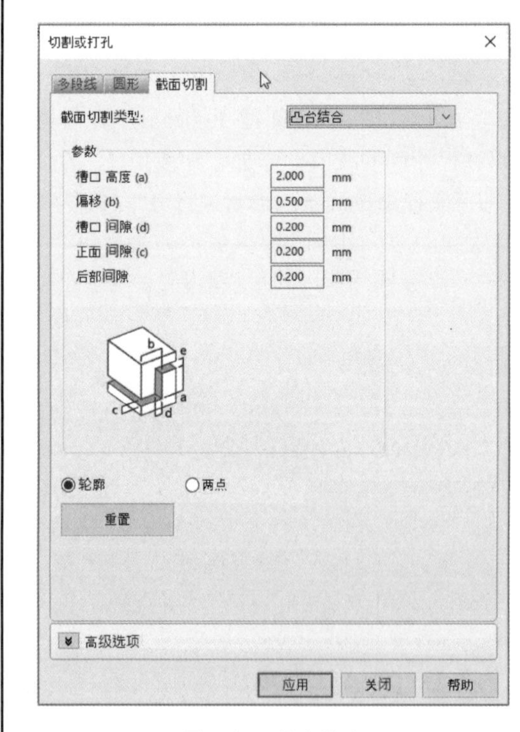

图 7-44 凸台结合

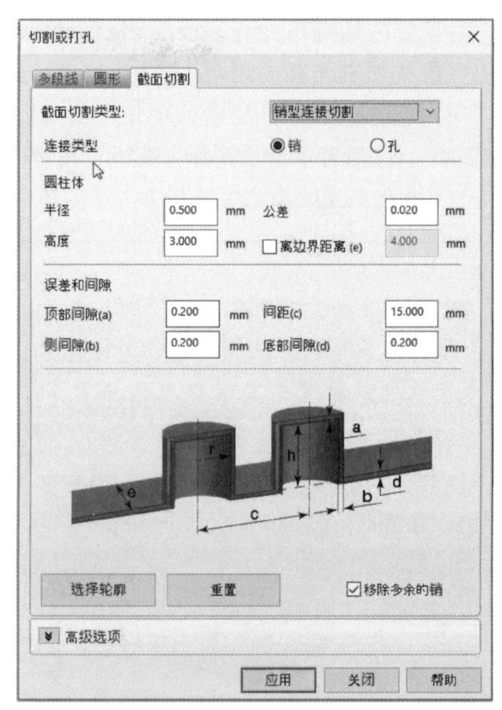

图 7-45 销型连接切割

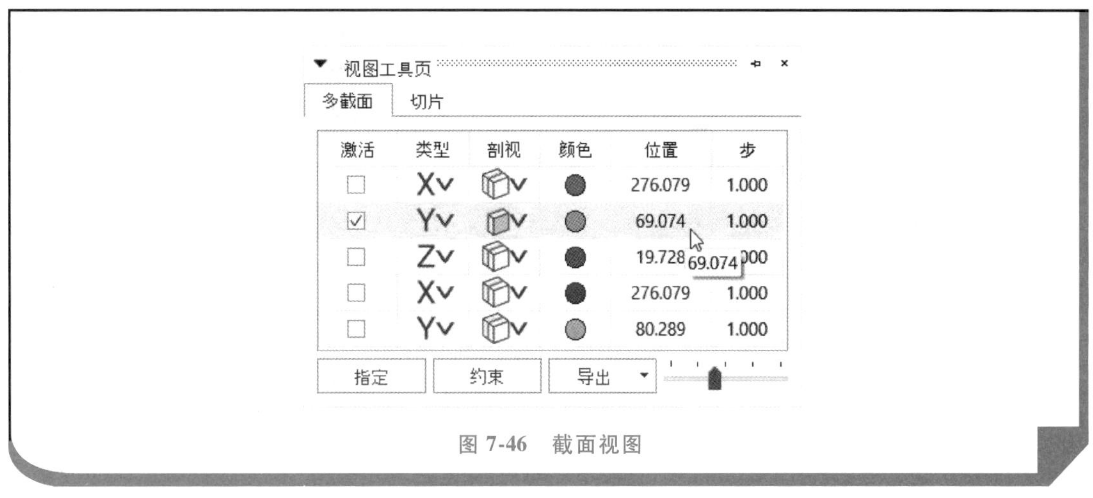

图 7-46 截面视图

完成以上操作后，单击“应用”按钮，即可完成模型的截面切割。使用凸台结合的方式时，截面两侧会分别生成轮廓形状的凸台与凹槽，凸台可对应插入凹槽（图 7-47）；使用销连接的方式时，截面两侧会生成多个小型圆柱销与销孔，圆柱销可对应插入销孔（图 7-48）。

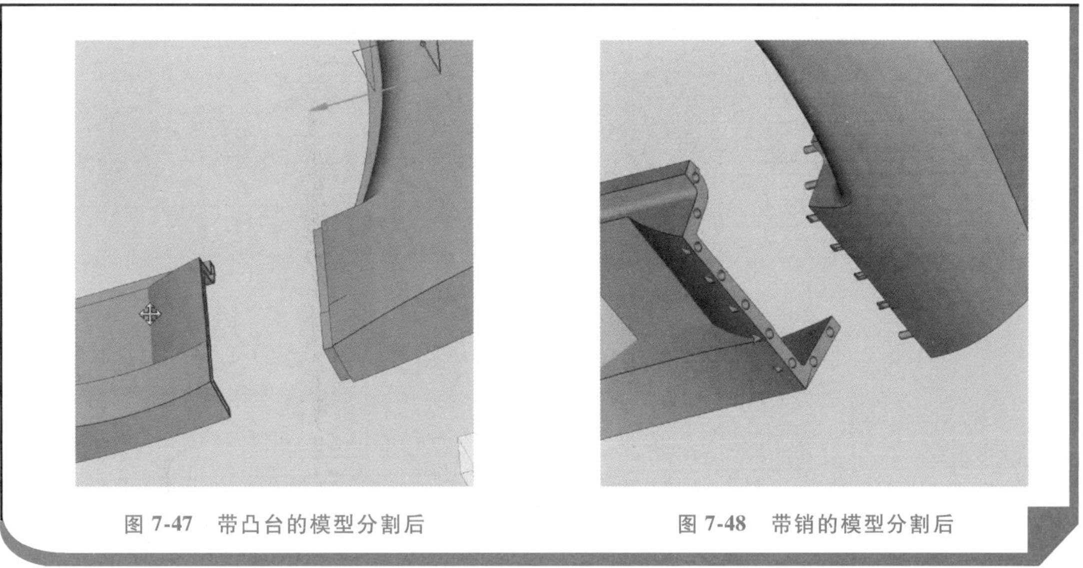

图 7-47 带凸台的模型分割后　　图 7-48 带销的模型分割后

（6）打标签 打标签功能可以在模型上增加各种类型的文字、图像标签，这样可以确保一次打印多个相似制件时，不会将制件搞混，也有利于后期分类、装配等工作。在“工具”模块中单击“打标签”按钮（图 7-49），弹出“标签”对话框（图 7-50）。

以文本标签为例，在文本框中输入标签文本，设置好字体信息，在零件表面选择需要加标签的位置，并设置好标签高度值，选择外凸或内凹，即可生成所需的文字标签。同样，也可以在绘图中导入 DXF 格式的图形文件作为标签内容，例如打开图 7-51 所示的标签图形并调整好位置，执行打标签操作后，即可得到表面呈现标签起伏形状的模型（图 7-52）。

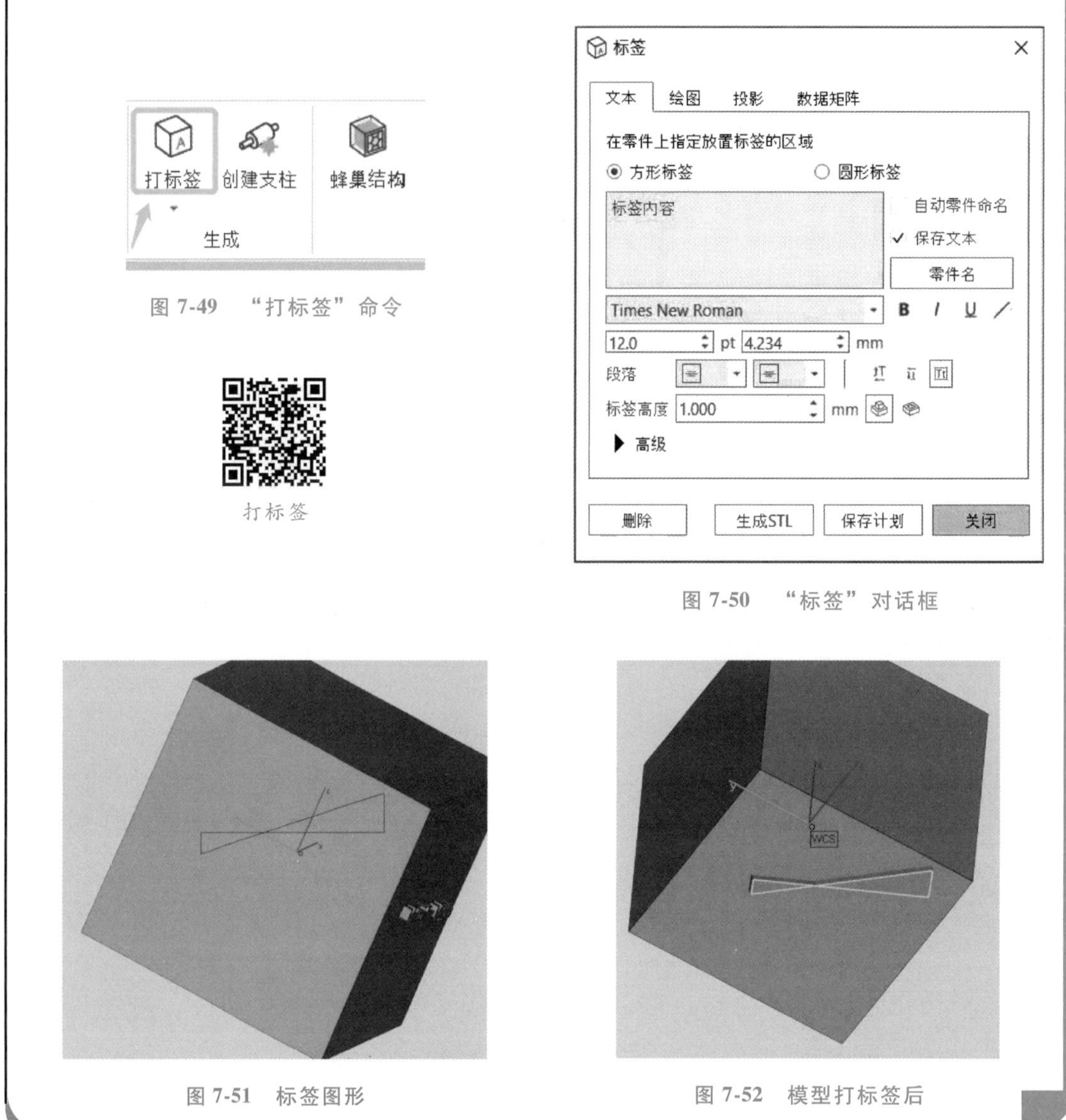

图 7-49 “打标签”命令

图 7-50 “标签”对话框

图 7-51 标签图形

图 7-52 模型打标签后

3. 编辑 STL 模型的实际应用

对 STL 模型进行结构编辑可以有效解决一些 3D 打印中的生产实际问题，以下列举三个通过 Magics 软件进行预处理的实际案例。

案例中使用的均为 Materialise Magics 19 版本。

（1）拆分太刀模型（表 7-1） 本例中，需要 3D 打印一把 1∶1 比例的长柄太刀，由于制件的长度尺寸非常大，远远超出了 3D 打印机的成型极限尺寸，因而需要先将模型进行切割拆分。

（2）制作人像摆件（表 7-2） 本例中，需要 3D 打印一个人像的桌面摆件。人像数据通过前期光学扫描获取，利用 Magics 软件的布尔运算以及打标签功能，对其进行结构编辑。

表 7-1　拆分太刀模型

简要操作步骤	操作图示
通过“文件”→“导入零件”或单击拖拽的方式将“太刀”模型数据导入	
使用“切割 & 打孔”命令	
绘制多段线将需要拆分的部分画框，注意确保拆分后不超过设备成型极限尺寸	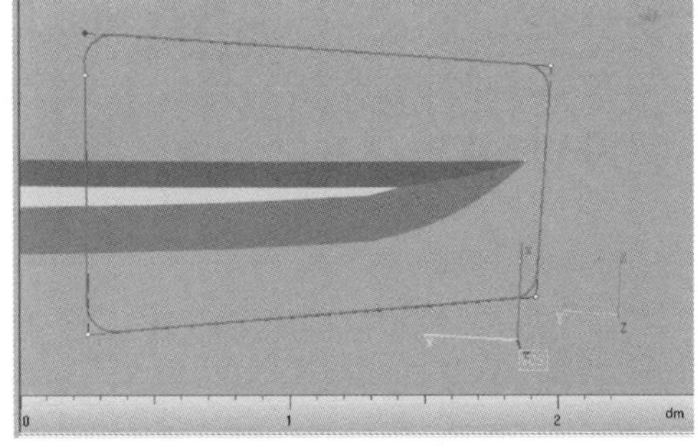
定义齿参数，为确保打印后的模型拼合牢固，选择“线锯形”齿型	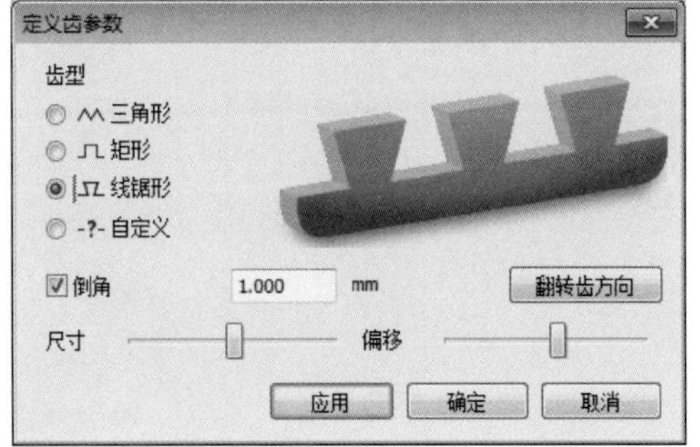

（续）

简要操作步骤	操作图示
通过重新着色、平移的操作可观察到模型已经被成功拆分	
重复操作，将太刀模型按实际3D打印设备情况进行多段分割	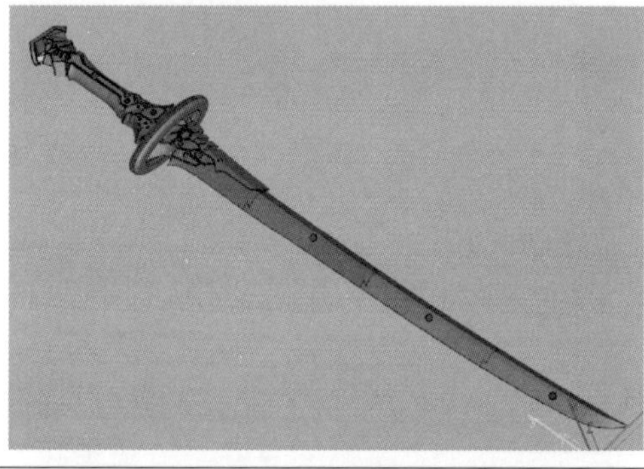
分段3D打印后再进行拼装，得到所需太刀制件	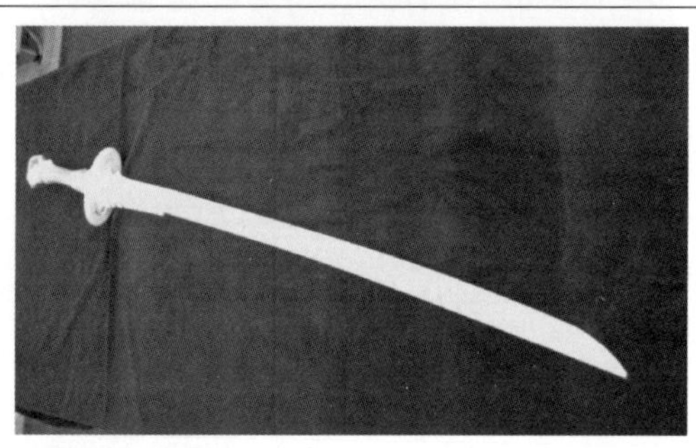

表7-2　制作人像摆件

简要操作步骤	操作图示
通过“文件”→“导入零件”或单击拖拽的方式将“人像”数据模型导入	

（续）

<table>
<tr><th>简要操作步骤</th><th>操作图示</th></tr>
<tr><td>创建一个八边形角锥底座</td><td>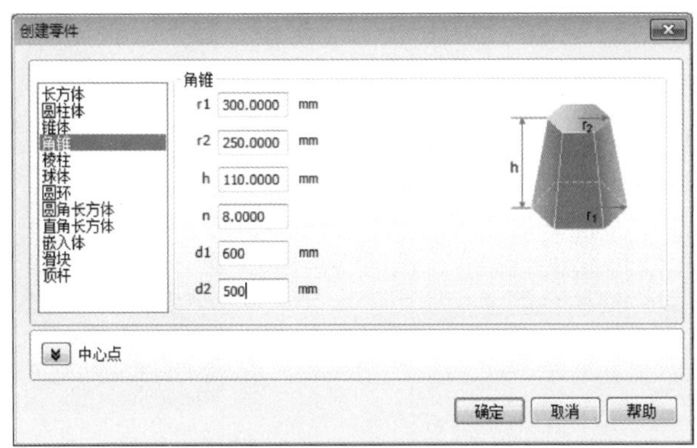
</td></tr>
<tr><td>调整二者至合适的相对位置</td><td>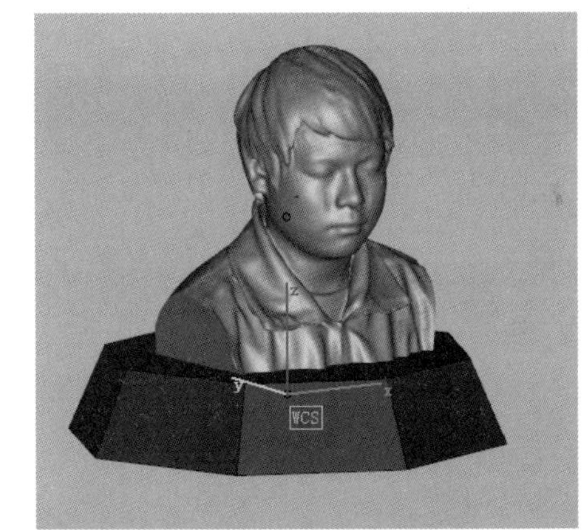
</td></tr>
<tr><td>使用布尔求和操作对模型进行合并</td><td>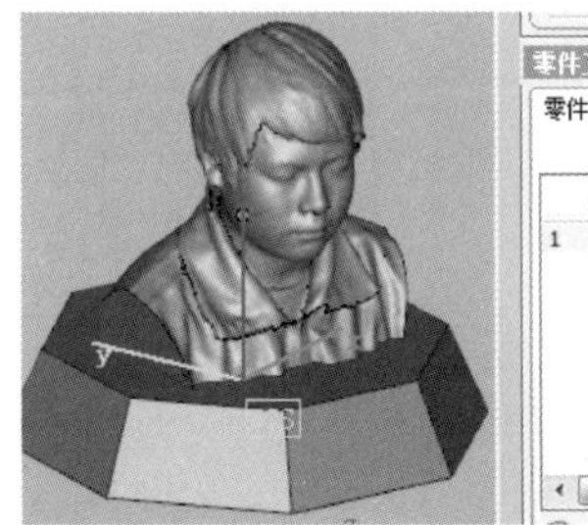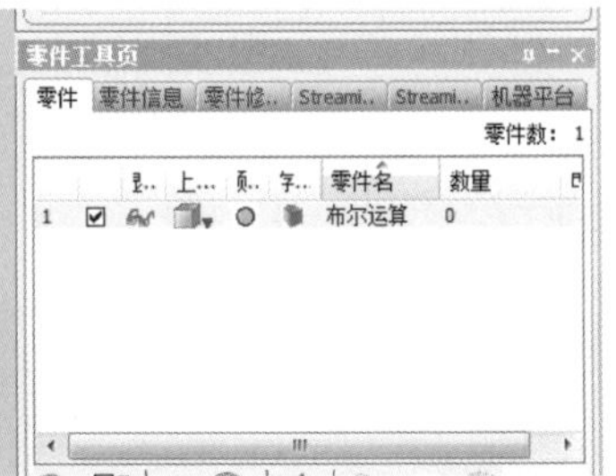
</td></tr>
</table>

（续）

简要操作步骤	操作图示
使用打标签功能在底座上加上字，完成带文字底座人像模型的创建	

（3）制作十二生肖灯罩（表7-3） 本例中，需要把十二生肖模型进行编辑处理，通过镂空与打孔功能得到壳体数据模型，3D打印后最终得到灯罩制件。

表 7-3 制作十二生肖灯罩

简要操作步骤	操作图示
通过“文件”→“导入零件”或单击拖拽的方式将“十二生肖”模型数据导入	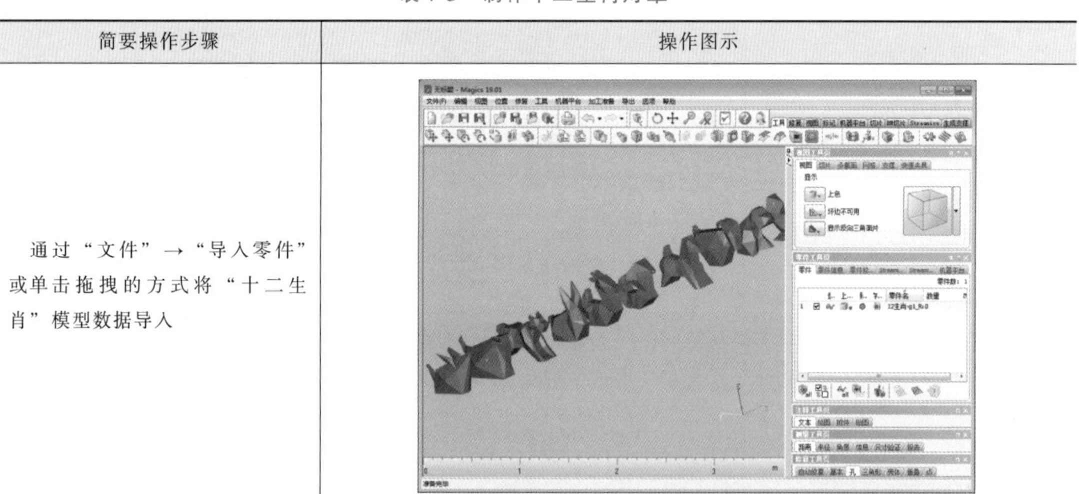
选择生肖模型，执行“零件抽壳”（“镂空”零件）命令。调整参数，考虑到灯罩的透光性，壁厚值取1mm，细节尺寸为0.2mm，方向朝内	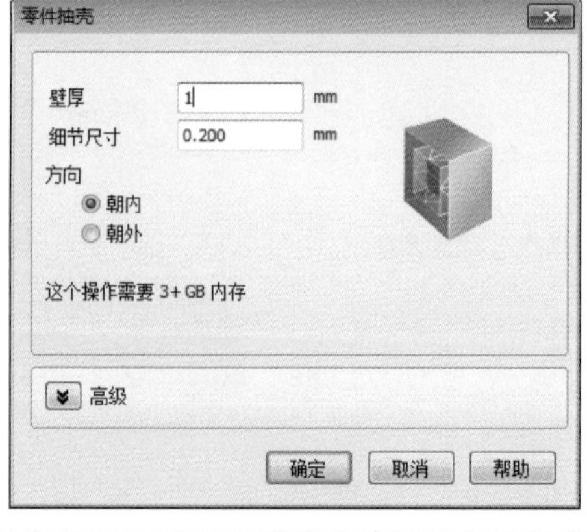

（续）

简要操作步骤	操作图示
透明化显示模型，确认抽壳完成	
执行“打孔”命令	
根据发光 LED 部件的尺寸，确定底部开口半径取 8mm，输入到“打孔”对话框中	
执行“打孔”命令，选取模型底部合适的开孔位置，完成打孔操作	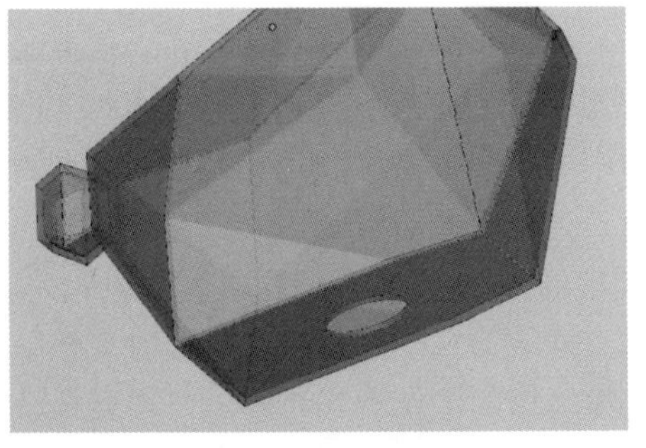

（续）

简要操作步骤	操作图示
3D 打印灯罩制件完成	

三、摆放零件与设置支撑结构

1. 摆放方式与支撑结构的影响

对于 SLA/SLS/SLM 类型的工业级 3D 打印设备，由于其成型件精度高、力学性能好，在实际生产领域应用最为广泛。同时，这类设备的使用成本也比普通的 FDM 设备高许多，因此在打印前一定要做好充分的准备，以确保操作方便、打印速度快、打印成功率高和打印件质量好。

零件摆放方式对于打印制件主要有以下几方面的影响：

（1）加工时间　零件不同的摆放方式会影响加工时间长短。对于激光成型类型的 3D 打印工艺，设备在 X、Y 方向上的成型速度与 Z 方向相差很大，因此制件的 Z 方向高度对于打印时间影响极大。以三边长度不相等的长方体制件为例，把不同的边长作为 Z 向高度，在制件体积不变的情况下，高度最低时打印时间也最短。

（2）托盘内摆放数量　当一次性打印零件较多时，不同的摆放方式对于托盘能容纳的最大零件数量影响很大。合理进行零件的摆放，可以最大化利用托盘面积，从而减少打印次数。

（3）加工风险　合理的摆放有助于降低加工过程中的风险。制件以不同角度摆放会对后续支撑结构、翘曲变形倾向、重心位置等诸多方面产生影响，从而增大或减少加工过程中产生的风险。对于 SLA 制件，由于"杯口效应"的存在，摆放方式还会对制件表面质量有很大影响。

支撑结构对于打印制件主要有以下几方面的影响：

（1）打印质量的好坏　良好的支撑结构可以确保撑住零件，从而使得零件结构中的关键部分在打印中不会产生变形。此外，在金属制件的打印中，支撑结构还能起到导热作用，良好的支撑设计可以确保金属制件成型过程中导热充分，不产生热变形。

（2）后处理的方便程度　在打印件取出后，需要将片状支撑中包裹的液体或粉料清除，并且还需要将支撑结构也一并去除。良好的支撑结构应当既能确保打印过程顺利，又能减少后处理去除支撑结构的工作量，还可以使得支撑结构去除后对零件的表面质量影响最小。

在 Magics 软件中，主要对零件的摆放位置与支撑结构的设置这两方面进行优化。

2. 设置机器平台

在开始摆放零件与设置支撑结构前，需要先在软件中导入一个机器平台。不同机器平台的形状、大小各不相同，并且也有不同的生成支撑结构工艺参数。

当零件模型已检测、修复及编辑完成后，可以设置机器平台。先在“加工准备”模块中单击“我的机器”按钮（图 7-53），弹出“我的机器”对话框（图 7-54）。第一次操作时，机器列表中无机器，此时可以单击“从机器库里加载”按钮进行加载。

设置机器和建立平台

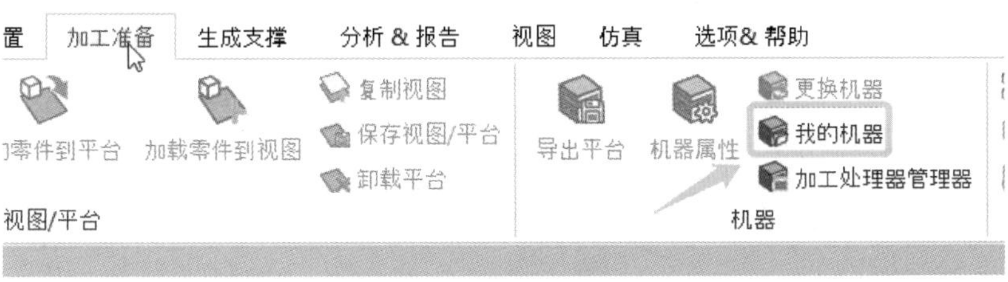

图 7-53 “我的机器”命令

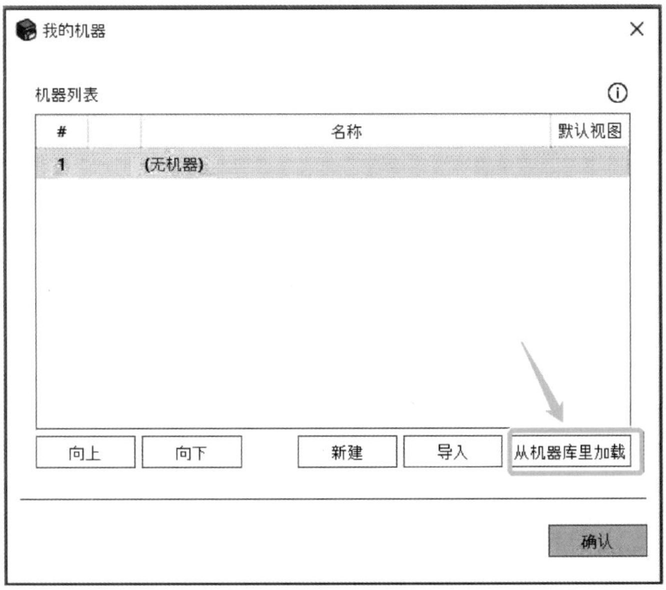

图 7-54 “我的机器”对话框

Magics 软件的机器库中内置了 3D 打印行业中主流品牌的大部分设备，选中所需设备后将其从左侧“机器库”拖动至右侧“我的机器”中即可（图 7-55）。如果机器库中没有所需的设备型号，也可以将左侧列表底部的 Machine（mm）拖到右侧“我的机器”栏中，后续可以自行在“机器属性”中设置该机器的参数。

添加机器完成后，即可开始设置打印平台。在“加工准备”模块中单击“新平台”按钮（图 7-56），弹出“新机器”对话框（图 7-57）。在“选择机器”一栏中选中已添加的机器型号，单击“确认”按钮，平台即设置完成。

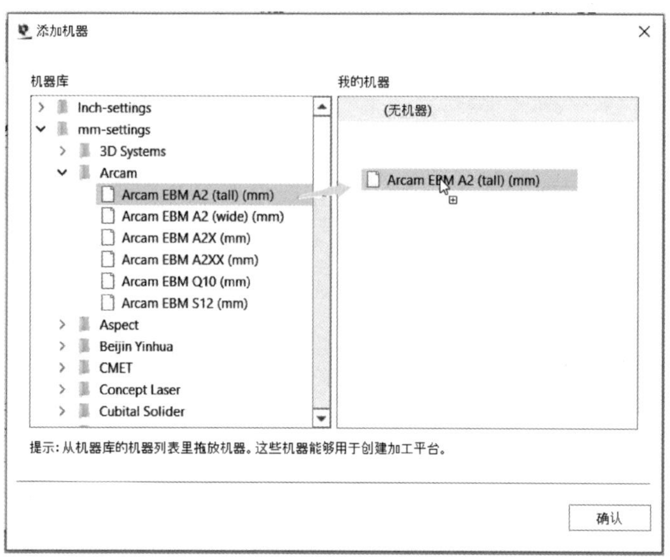

图 7-55 添加机器

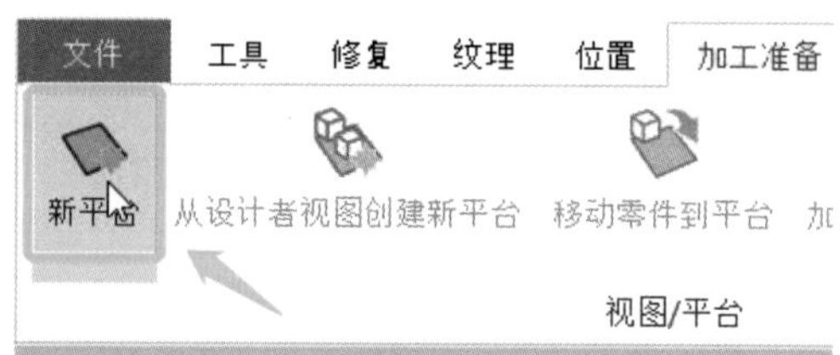

图 7-56 “新平台”命令

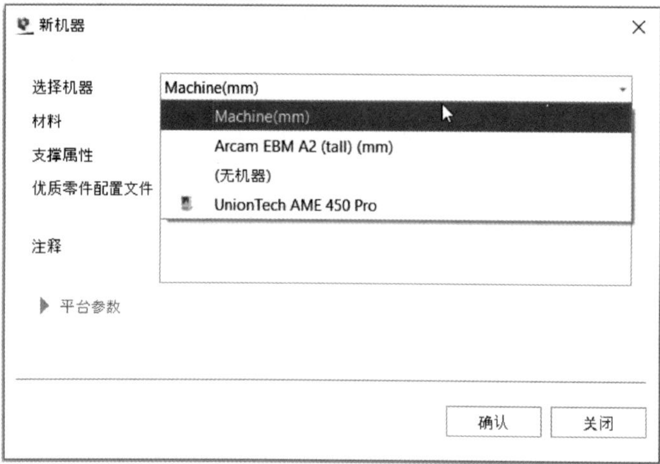

图 7-57 “新机器”对话框

如果机器为自定义机型，此时还需设置机器参数。单击“加工准备”模块中的“机器属性”图标（图 7-58），弹出“机器属性”对话框（图 7-59）。在“通用信息”选项卡中可以设置机器名称、使用材料种类、平台的形状与尺寸、刮刀方向与激光参数。在其他各选项卡中，也可相应设置各类机器参数。

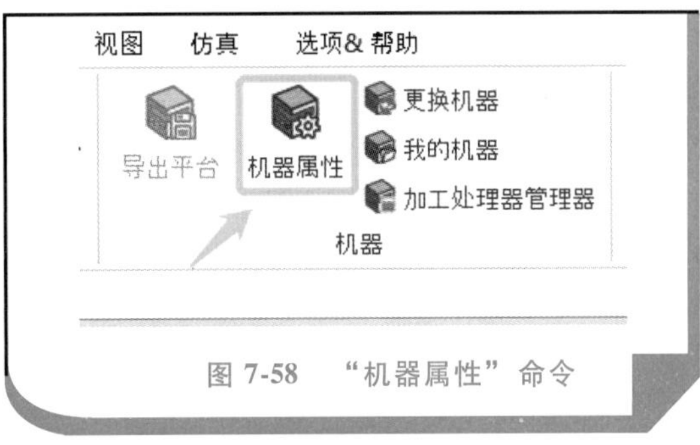

图 7-58　“机器属性”命令

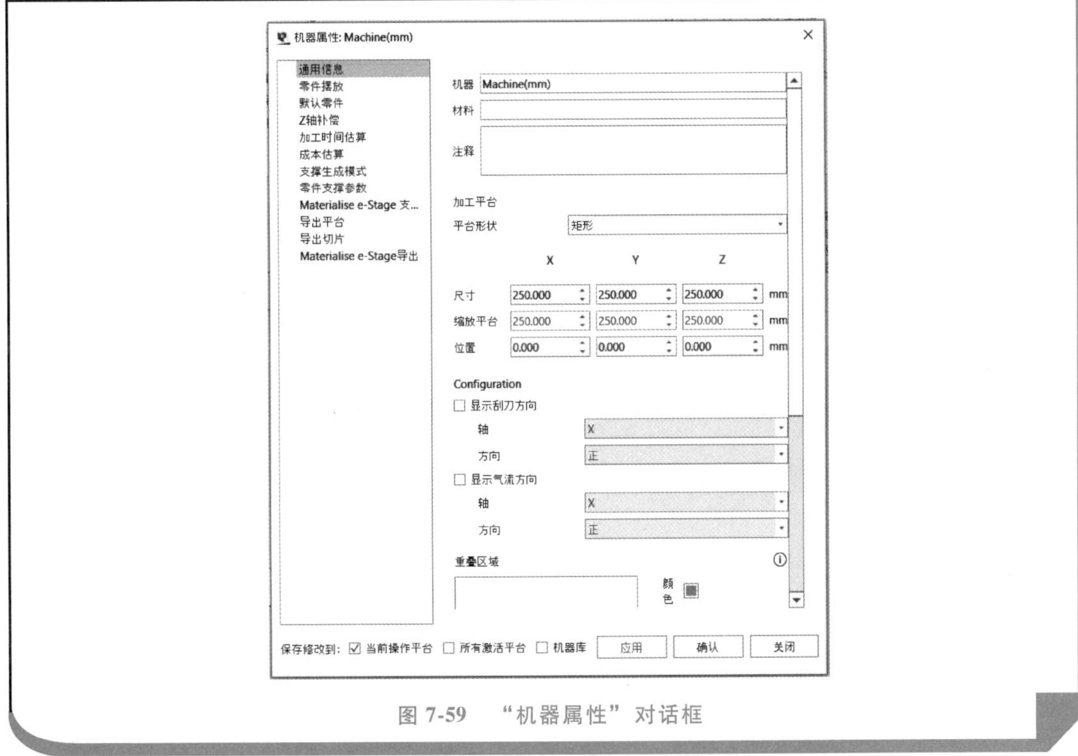

图 7-59　“机器属性”对话框

3. 摆放零件

将零件加载至机器平台后，即可开始摆放零件。

（1）手动摆放　对于单个或少量零件，可以使用手动摆放的方式。在“位置”模块中单击“平移”和“旋转”按钮（图 7-60），即可手动调整零件的位置，该操作方法与在模型编辑中相同。

手动摆放时，指定零件底/顶平面是一个很实用的功能。在“位置”模块中单击“底/顶平面”按钮（图 7-61），弹出“底/顶平面”对话框（图 7-62），在对话框中先选择“底平面”或“顶平面”，随后单击“指定面”按钮，在零件表面上选择合适的面，即可改变零件的摆放方向。

图 7-60　手动平移与旋转

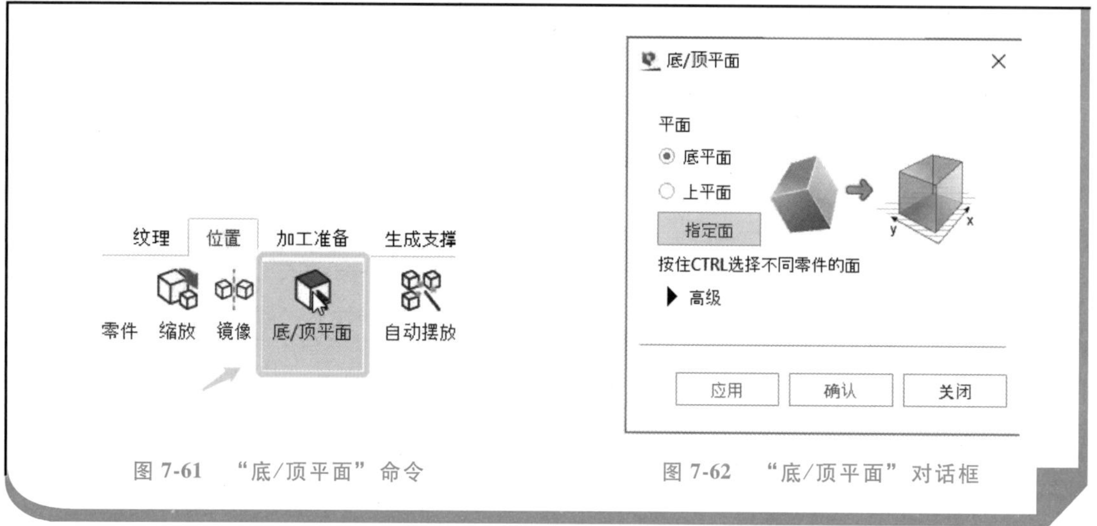

图 7-61 “底/顶平面”命令

图 7-62 “底/顶平面”对话框

（2）自动摆放 当零件数量非常多时，使用手动摆放工作量会很大，此时就可以采用自动摆放的方式。

先选中多个需要摆放的零件模型，单击“位置”模块中的“自动摆放”按钮（图 7-63），弹出“自动摆放”对话框（图 7-64）。

图 7-63 “自动摆放”命令

自动
摆放工具

图 7-64 “自动摆放”对话框

在“自动摆放”对话框中，可以输入零件之间的最小间隔值以及零件和平台边缘的最小间隔值，还可以在“摆放方案”中选择所需的摆放方案。使用“几何外形”方案时，零件之间的摆放会更为紧凑；使用“边界矩形”方案时，会将零件视为矩形体进行运算，摆放间隔会更大。在执行“自动摆放”命令后，即可非常方便地将所有零件按偏好设置一次性调整好位置（图 7-65）。

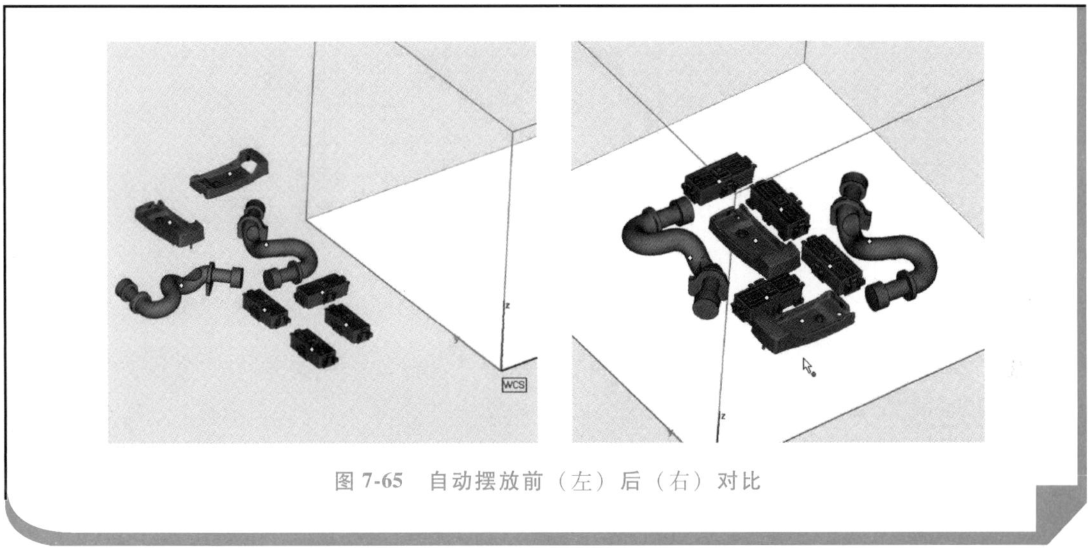

图 7-65　自动摆放前（左）后（右）对比

（3）高级自动摆放　自动摆放中还具备一些高级功能，可供某些场合下精确计算摆放方式的最优解。

1）第一个工具是“方向对照”。单击“方向对照”按钮（图 7-66）后弹出“方向列表”对话框（图 7-67），在其中添加需要考虑的参数，单击“对比”按钮，软件即可自动计算出对应不同参数优先级的多种摆放方式预览情况（图 7-68）。可以详细对比这些摆放方式，从而判断选取最合适的零件摆放方式。

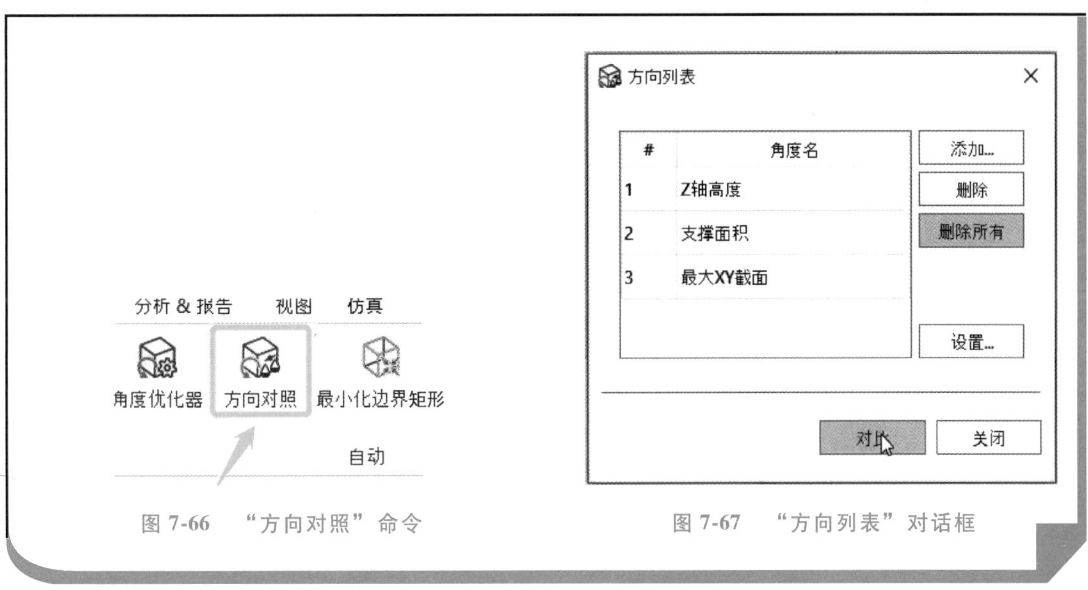

图 7-66　“方向对照”命令

图 7-67　“方向列表”对话框

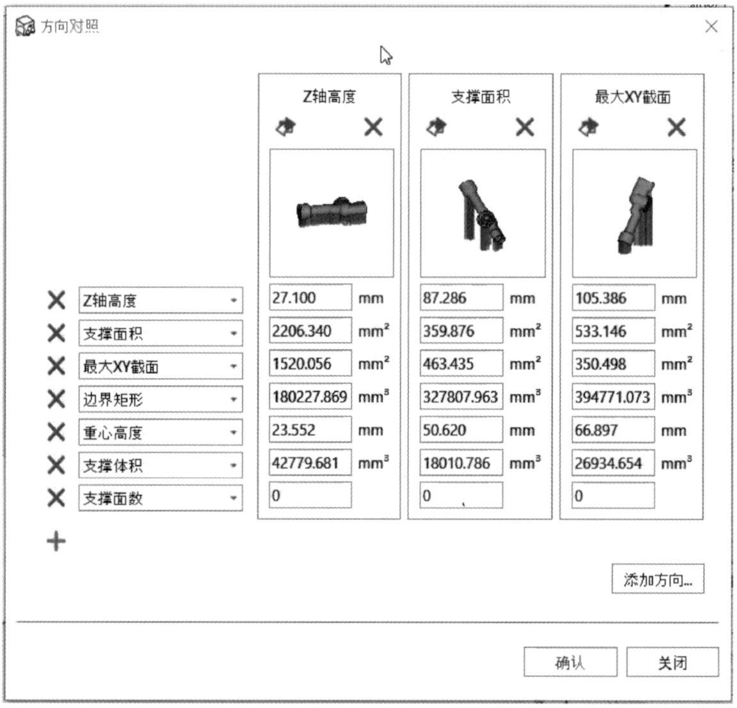

方向对照

	Z轴高度		支撑面积		最大XY截面	
Z轴高度	27.100	mm	87.286	mm	105.386	mm
支撑面积	2206.340	mm²	359.876	mm²	533.146	mm²
最大XY截面	1520.056	mm²	463.435	mm²	350.498	mm²
边界矩形	180227.869	mm³	327807.963	mm³	394771.073	mm³
重心高度	23.552	mm	50.620	mm	66.897	mm
支撑体积	42779.681	mm³	18010.786	mm³	26934.654	mm³
支撑面数	0		0		0	

添加方向...

确认 关闭

图 7-68 多种摆放方式对比

2）另一个工具是“角度优化器”。单击“角度优化器”图标（图 7-69）后弹出“位置优化”对话框（图 7-70），单击对话框下方“更新测量”按钮，可以得到当前模型的状态参数，然后单击“优化”选项卡，勾选需要优化的参数（图 7-71），并且通过拖动滑块控制参数的优先等级，设置完成后单击“优化”按钮，即可优化零件的摆放方向。

图 7-69 “角度优化器”命令

（4）烧结模块 烧结模块的功能是使制件形成空间堆叠，适用于 PolyJet 与非金属粉末 SLS 工艺的打印。使用这两种工艺时，可以不设置支撑结构，能够在高度方向上重叠放置多层零件，一次性打印数量非常多的零件，大大增加设备的工作效率。

选中需要空间摆放的多个零件，单击“3D 摆放”按钮（图 7-72），在弹出的“3D 自动叠加”对话框（图 7-73）中设置好间距与边距参数，单击“运行”按钮，即可自动完成零件的空间摆放（图 7-74）。

烧结模块中还有一个实用的工具是“烧结盒”。通常，一些尺寸非常小的零件在取件时会难以找到甚至遗失，而使用“烧结盒”功能则可以在这些零件周围生成一个布满网眼的小盒子，这样就可以在取件时直接将烧结盒取出，确保其中的小零件不会丢失。

图 7-70　“位置优化”对话框

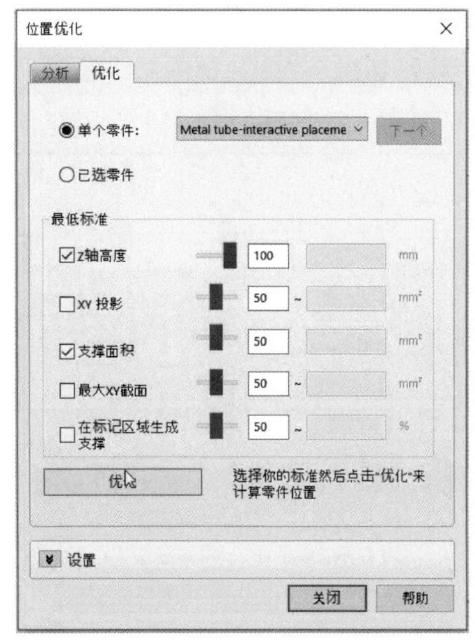

图 7-71　位置优化设置

图 7-72　“3D 摆放”命令

3D 摆放

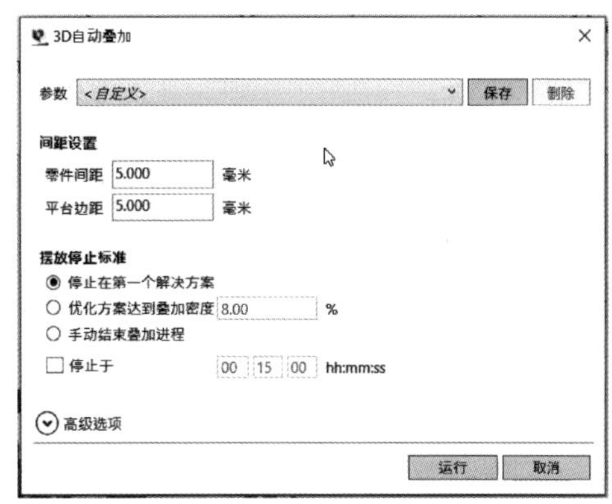

图 7-73　“3D 自动叠加”对话框

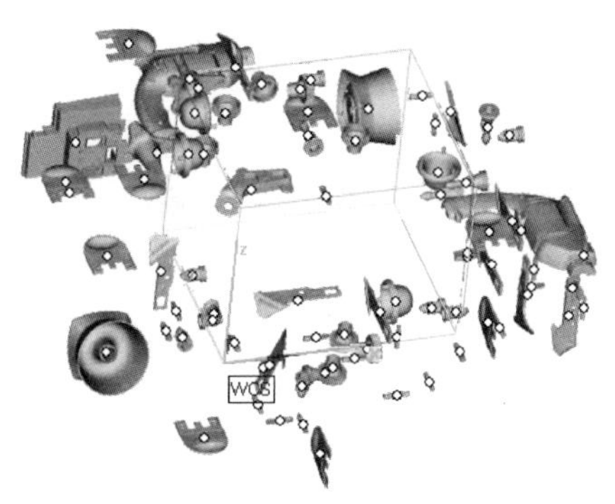

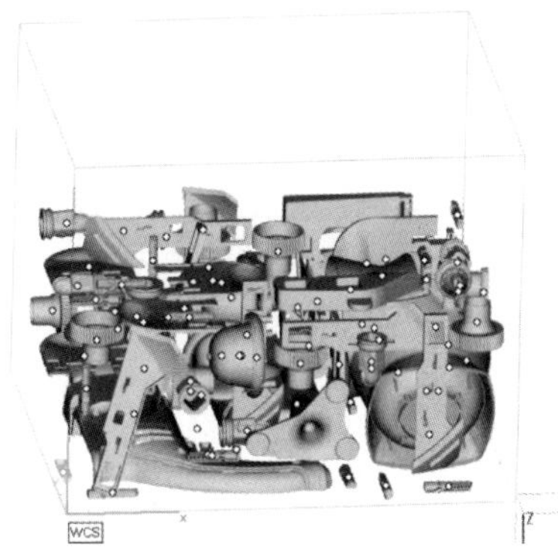

图 7-74　堆叠摆放前（左）后（右）对比

使用“烧结盒”功能前，先选中所有需要保护的小零件，单击“子叠加”按钮（图 7-75）将这些小零件子叠加紧凑地排布在一起（图 7-76）。接着单击“烧结盒向导”按钮（图 7-77），按照提示操作，即可在小零件周围生成一个网格状的烧结盒（图 7-78）。

图 7-75 “子叠加”命令

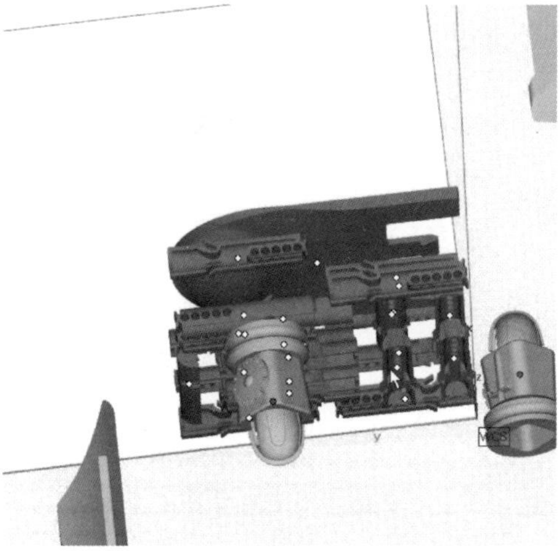

图 7-76 子叠加小零件后

图 7-77 “烧结盒向导”命令

图 7-78 小零件添加烧结盒后

4. 设置支撑结构

零件摆放完成后，可以对其设置支撑结构。

（1）修改零件支撑参数 在生成支撑结构前，需要先在机器属性中修改零件支撑参数。单击“机器属性”按钮进入设置对话框，在左侧选中“零件支撑参数”（图 7-79），右侧即显示当前的支撑参数，可以改变支撑类型、支撑面角度等参数，从而改变自动生成支撑的结果。

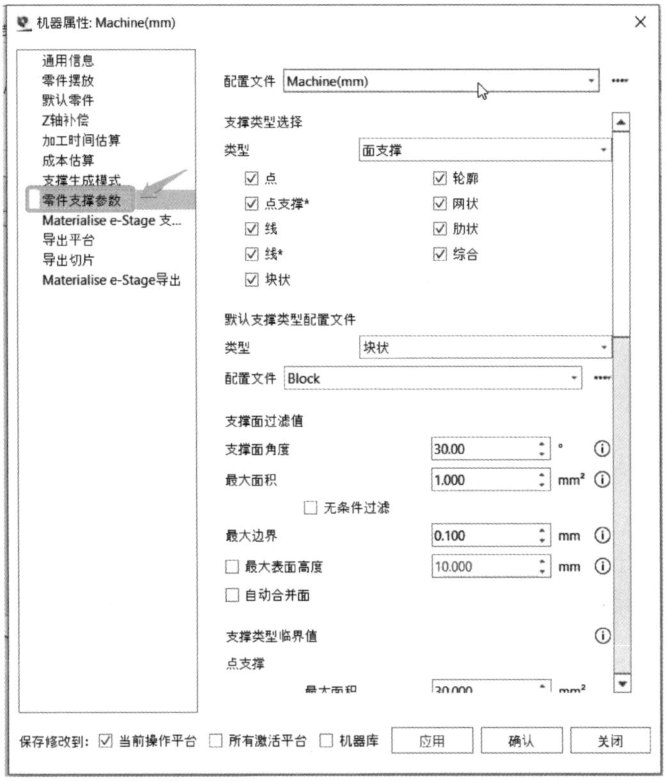

图 7-79　设置零件支撑参数

支撑类型多为面支撑，对应生成的支撑为没有厚度的片体，实际打印中，支撑部分的厚度即为激光的一个光斑直径。支撑面角度值即为生成支撑的临界值，当模型上某个面与 *XY* 平面的夹角大于设置值，即视为此处自支撑，不会额外生成支撑结构。

支撑参数设置完毕后，单击“生成支撑”按钮（图 7-80），软件就会自动进行后续支撑结构的生成（图 7-81）。

（2）自动生成支撑结构　准备工作完毕后，单击“生成支撑”模块中的“生成支撑”按钮，Magics 软件即可自动生成支撑结构。

生成支撑结构后，软件界面会自动进入支撑模式。此时，软件右侧出现了“支撑工具页”（图 7-82）和“支撑参数页”（图 7-83）。在“支撑工具页”中罗列了当前所有的支撑及其类型信息；在“支撑参数页”中具体显示了某一支撑的底部投影图像。

（3）手动修改支撑结构　选中某一支撑类型，在右侧的“支撑参数页”中即可手动进行修改。

选择不同的支撑类型，单击“重建 2D&3D”按钮，支撑结构会相应发生改变。例如，可以选择“块状”支撑，也可以选择“轮廓”支撑，选完后单击“重建”按钮就会生成相应的支撑结构（图 7-84 和图 7-85）。

自动
生成支撑

图 7-80 “生成支撑”命令

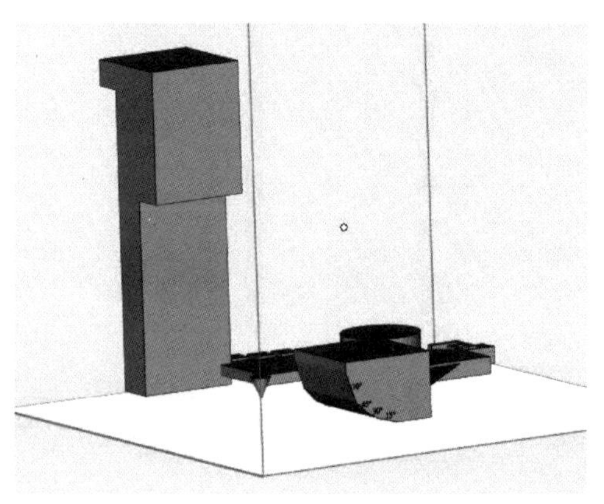

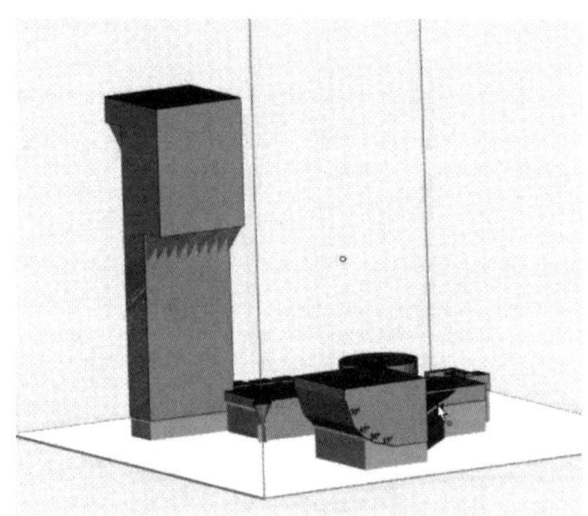

图 7-81 生成支撑结构前（左）后（右）对比

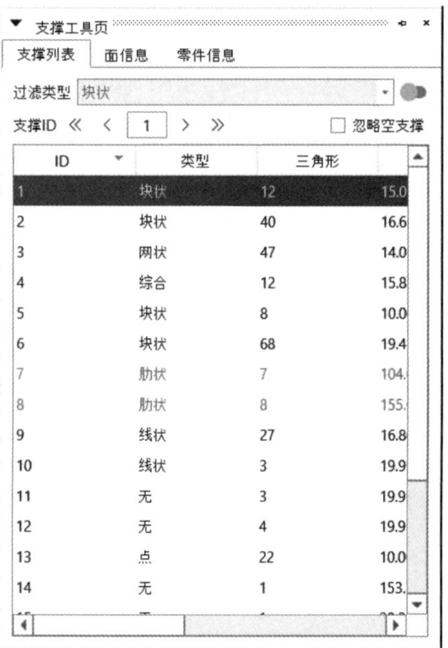

图 7-82 支撑工具页

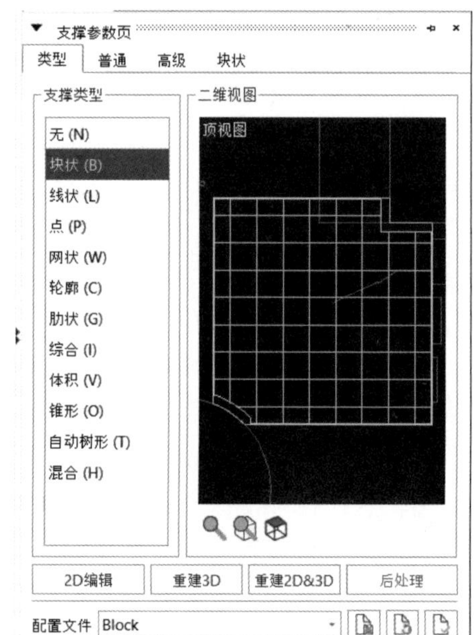

图 7-83 支撑参数页

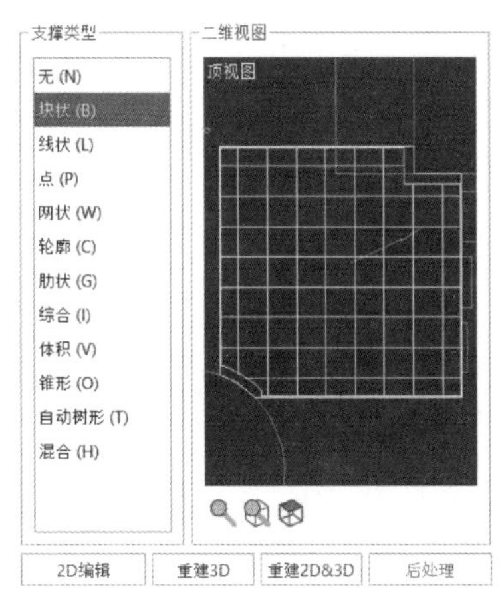

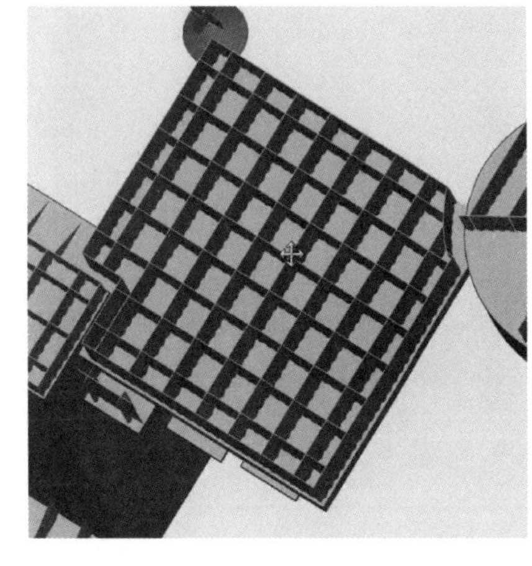

手动修改支撑

图 7-84　块状支撑结构

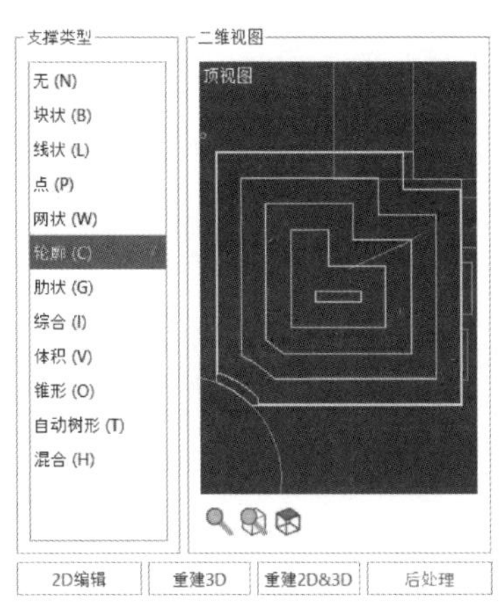

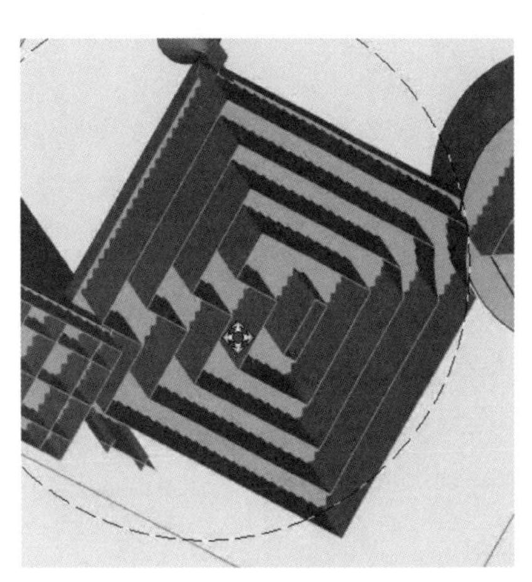

图 7-85　轮廓支撑结构

在“支撑编辑页”下方，单击“2D 编辑”按钮，可以进入“2D 编辑”页面（图 7-86）。在此页面中，可以通过类似于二维 CAD 绘图的方式对支撑结构的底部投影图形进行绘制和修改。

手动修改支撑结构时，注意需要兼顾支撑结构的牢固性以及去除支撑结构的便利程度。为了便于粉料、液体材料的排出，有时会在大块的底部支撑结构中设计开槽结构。

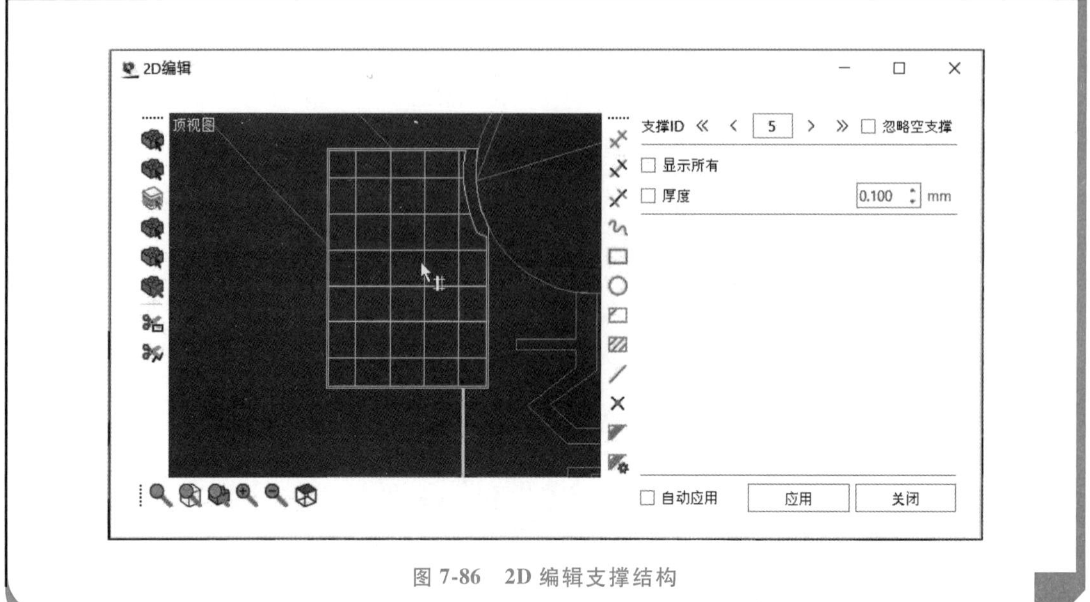

图 7-86 2D 编辑支撑结构

思考与练习

1. 增材制造模型数据的预处理包含哪些内容，有何作用？
2. 三维模型数据通常会存在哪些问题，如何处理？
3. 编辑三维模型数据的常用命令有哪些，适用于什么场合？
4. 不同支撑结构对 3D 打印过程与结果会产生哪些影响？

第八章

涤垢洗瑕——增材制造制件后处理

学习目标

1. 了解增材制造常用后处理的种类。
2. 了解增材制造后处理的作用。
3. 掌握对制件进行去除支撑材料、打磨抛光、表面着色的操作方法。

一、去除支撑材料

由于增材制造成型的基本原理，在成型过程中需打印辅助支撑结构，以保证悬空处或倾角过大处能够顺利成型。这部分支撑结构属于工艺废料，一旦在制件成型后便失去作用，因此当打印完成后需要将支撑材料去除并清理干净。

1. 常见去除支撑材料的方法

（1）手工修剪支撑材料　对于外露、大块的支撑材料，手工修剪去除是最简单便捷、易于操作的处理方式。手工修剪不需要太专业的工具、设备，只需要使用斜口钳、刻刀、镊子这类常用的工具即可。

修剪时，可以先观察支撑结构情况，大面积的支撑材料可以用斜口钳去除（图 8-1）；对于细小的部分，可以改用适当大小的刻刀来去除（图 8-2）。在手工剥离过程中，尽量不要让刀刃接触模型，以免对模型造成损坏，同时也要注意安全，不要被工具割伤手。制件表面的修剪处会留有一定的修剪痕迹，后续可以酌情使用砂纸进行打磨处理。

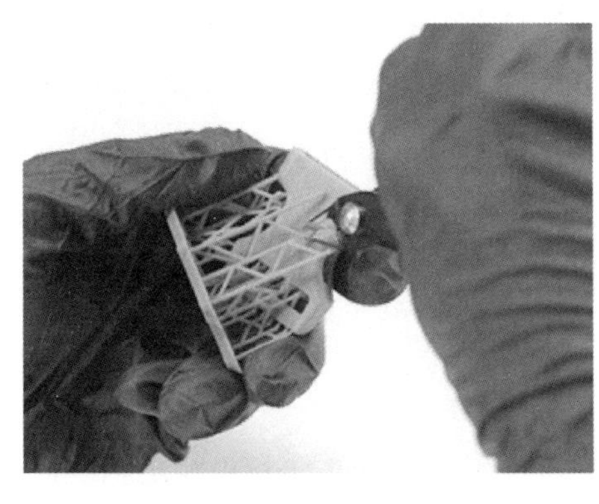
图 8-1　用斜口钳修剪支撑材料

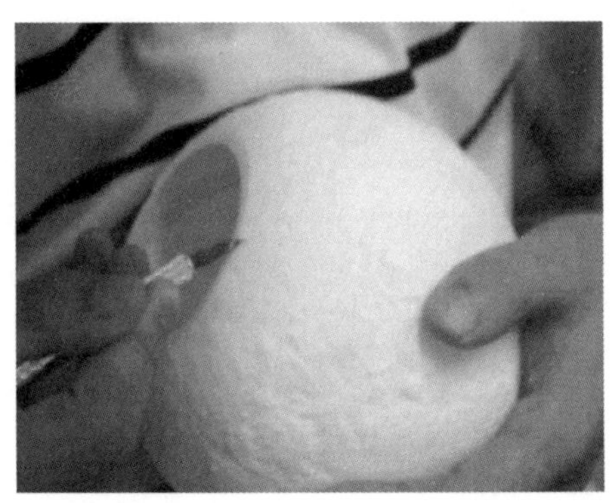
图 8-2　用刻刀割除支撑材料

手工修剪的方法对于大部分桌面级 FDM 设备、SLA 设备以及 SLS 设备所打印的塑料制件都能适用。不过，当制件内部存在精细的支撑结构时，修剪工具由于受形状、尺寸的限制，不能伸入制件内部，则无法采用这种方法。

（2）浸泡去除水溶性支撑材料　对于一部分双喷头的 FDM 设备，可以对其中一个喷头装载水溶性材料，并且使用这个喷头专门打印支撑结构，那么便可在之后使用相应的液体浸泡去除支撑材料。

目前有一些 3D 打印材料是可以溶于各类液体的，例如：聚乙烯醇（PVA）可溶于水，抗冲击聚苯乙烯（HIPS）可溶于柠檬烯，去除这类支撑材料时，如果液体是水，则可以直接把制件放在水龙头下用水冲洗（图 8-3）；对于碱水这类有一定腐蚀性的溶液，可以先把液体倒入玻璃容器，再把制件浸入其中，还可以通过加热来提升去除速度；如果条件允许，可以购买一个带有加热功能的超声波清洗机，将液体倒入其中后放入制件（图 8-4），打开加热与超声波功能，这样便可以快速、彻底地去除制件中的支撑结构。

图 8-3　用水冲洗支撑材料

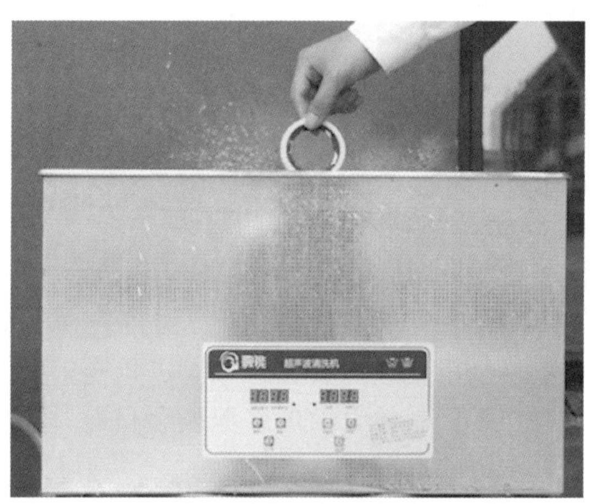

图 8-4　在超声波清洗机中浸泡支撑材料

（3）使用高压气枪和高压水枪去除支撑材料　粉末成型类（SLS、3DP 等）3D 打印工艺大部分情况下都可以实现自支撑，因此在制件成型后将其表面以及内部粉末清除即可。对于这类粉末支撑材料，使用高压气枪吹除是一个不错的方法，尤其是对于内部具有复杂结构的制件（如随形水路模具），使用擦拭、振动等常规手段很难彻底清除内部的粉末，而使用高压气枪则可以方便地达到目的（图 8-5）。

对于 PolyJet 工艺的制件，其支撑结构是由一种质地柔软的凝胶状材料构成的。对于这类支撑材料，使用高压水枪冲洗是最佳手段。高压水流可以轻易地将支撑材料冲走而不会损伤制件本体，可以很好地兼顾工作效率与制件表面质量（图 8-6）。

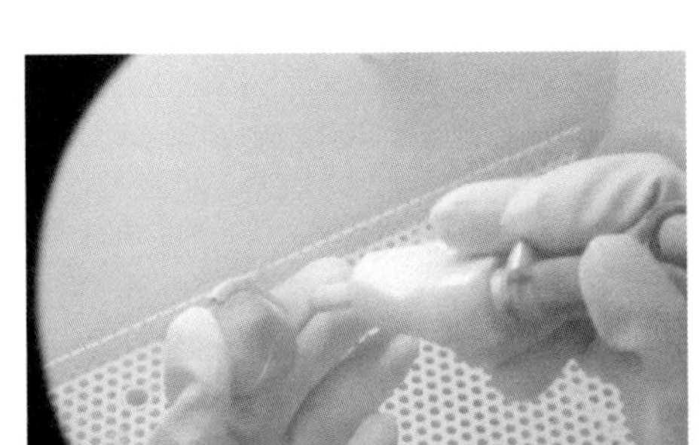

图 8-5　用高压气枪清除粉末支撑材料

图 8-6　用高压水枪清除凝胶支撑材料

2. 常用去除支撑材料的工具和设备（表 8-1）

表 8-1　常用去除支撑材料的工具和设备

名　称	图　片	简　介
斜口钳		也称为水口剪，其特点是剪口往一边倾斜，以便用于精确剪裁。常用于支撑结构中体积较大余料的去除，不但可以剪断细薄的余料，还可以像钳子一样夹着余料牵拉
雕刻刀		用于精确去除模型表面多余的材料，适用于打印件表面的精修
镊子		用于清理缝隙部位切除下来的余料，多用于镂空类模型的精修以及拉丝等细微残料的清除

（续）

名　称	图　片	简　介
超声波清洗机（带加热功能）		对应水溶性支撑材料使用，加入相应溶解液体与制件，打开超声波与加热功能，可以快速、彻底地清除模型表面及内部的支撑材料
高压气枪		结合气泵使用可以吹出高压气流。常用于彻底清除3D打印制件表面及内部的粉末
高压水枪		接通气路与水路后，可以喷射出高压水流。常用于清除质地柔软的凝胶状支撑材料，而不会损伤制件本体

二、表面打磨与抛光

一方面由于3D打印的基本原理，成型件表面存在台阶状纹理；另一方面，在剪除支撑结构时也会留有痕迹。因此，当需要得到表面高质量的3D打印件时，有必要对制件进行进一步的打磨与抛光处理。

1. 常见表面打磨与抛光的方法

（1）使用手动工具打磨　使用锉刀、砂纸等常规工具进行手动打磨，操作方便、灵活，但不适用于复杂结构制件。

锉刀通常用于开始的基础打磨（图8-7），可以根据制件表面形状自行选择半圆形、直板形、异形的锉刀。用锉刀打磨完毕后，表面会有锉刀痕，还需要继续使用细砂纸进一步打磨（图8-8）。

砂纸的型号主要以表面颗粒的粗细来分，常见的有400目、600目、800目、1000目、1200目、1500目和2000目。目数越高的砂纸颗粒越小，打磨出的表面越精细。使用砂纸打磨时要循序渐进，先用低目数砂纸打磨（400目、800目），逐渐更换高目数砂纸。如果后续要上色，则最好打磨到2000目以上。

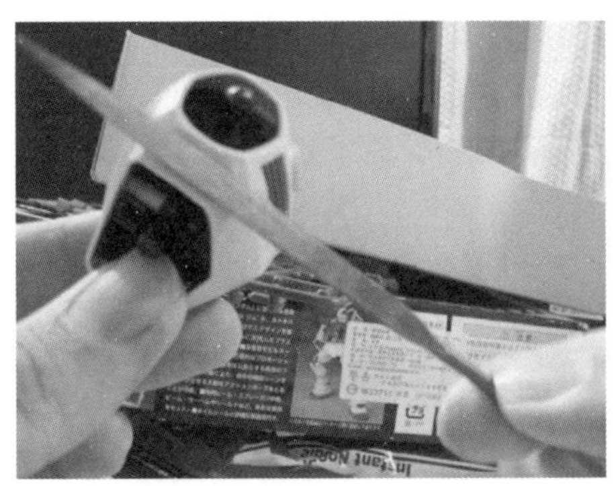
图 8-7 使用锉刀打磨

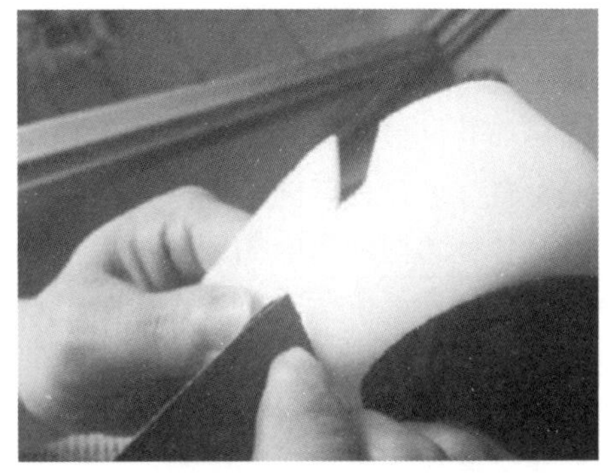
图 8-8 使用砂纸打磨

打磨塑料制件时，使用水磨砂纸沾水打磨效果更好。

（2）使用电动、气动工具打磨 3D 打印件也可以使用专门的电动、气动打磨工具进行打磨（图 8-9）。这类工具的打磨头种类繁多，可根据需要进行更换，因此可针对不同制件的材质、形状选择合适的打磨头进行打磨、抛光。

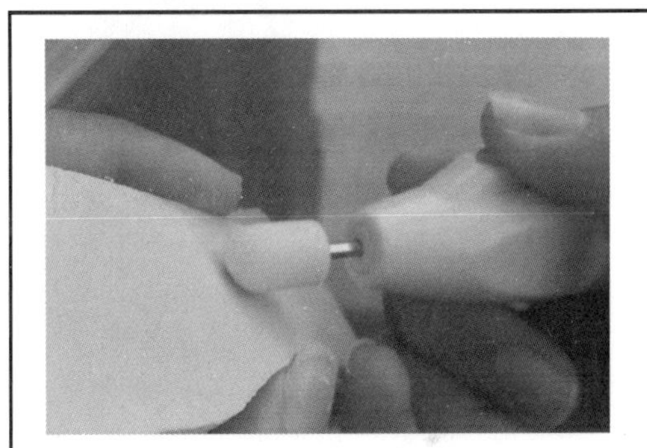
图 8-9 使用电动打磨工具打磨

使用电动、气动工具打磨的工作效率比纯手工打磨要高，但不利于精密控制。对于大面积的打印件可以用这种方式进行打磨，但对于细节部位最好还是使用手工砂纸打磨。

（3）喷砂喷丸处理 使用专门的喷砂、喷丸设备，采用压缩空气作为动力，将喷料高速喷射到需要处理的 3D 打印件表面，使制件表面粗糙度值大大降低（图 8-10 和图 8-11）。喷料的种类很多，有石英砂、金刚砂、铁砂、钢丸、玻璃丸、陶瓷丸等，可以根据 3D 打印件的材质和表面要求进行选择。使用这种方法需要有专门的设备，后处理成本比较高，但处

图 8-10 对塑料 3D 打印件进行喷丸处理

图 8-11 对金属 3D 打印件进行喷砂处理

理速度很快，5~10min 即可打磨完一个制件。制件在处理过后表面光滑，呈现均匀的亚光效果。

喷砂喷丸处理是常用的后处理工艺，对于金属 3D 打印件尤其实用。

（4）蒸气平滑处理　蒸气平滑处理是一种化学抛光手段，是将 3D 打印件浸渍在蒸气罐，罐底部有已经达到沸点的液体，当蒸气面上升包裹住制件后可以熔化零件表面约 2μm 的一层材料，几秒内就能把表面变得光滑闪亮。

针对各种不同材质的 3D 打印件，应当选用不同的对应液体熏蒸抛光。例如，ABS 材质的模型可以使用丙酮蒸气抛光，丙酮可以溶解 ABS 材料；PLA 材料则不可用丙酮抛光，需要使用 PLA 专用的抛光油。使用这种方法时，可以使用玻璃罐与酒精灯（图 8-12），也可以使用专用的电加热设备（图 8-13），最关键的是操作人员一定要充分做好安全防护措施，并尽量在通风环境下操作。

图 8-12　加热玻璃罐中的丙酮液体

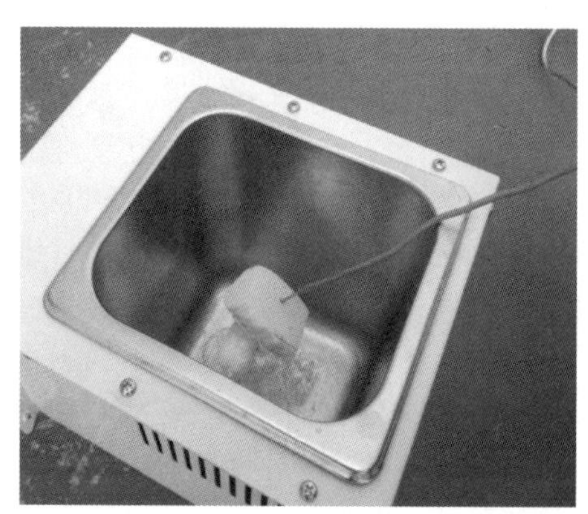
图 8-13　电加热生成蒸气

2. 常用打磨与抛光的工具和设备（表 8-2）

表 8-2　常用打磨与抛光的工具和设备

名　称	图　片	简　介
锉刀		可以根据制件表面形状自行选择半圆形、直板形、异形锉刀。通常用于开始的基础打磨，打磨后表面会有锉痕，还需后续进一步打磨
砂纸		目数越高的砂纸颗粒越小，打磨出的表面越精细。使用时，先用低目数的粗砂纸打磨，逐渐更换到高目数的细砂纸，中间不可省略

（续）

名　称	图　片	简　介
电动、气动打磨工具		以电或压缩空气为动力，手工操作。打磨头可根据需要进行更换。工作效率更高，但更难以控制
喷砂机		通过压缩空气将喷料喷出，高速冲刷制件表面，达到改善表面质量的作用。对于金属 3D 打印件尤其实用
电加热装置		倒入抛光液体，通电加热产生蒸气，将 3D 打印件吊住置入其中。蒸气可以熔化对应材质的零件表面，几秒内就能把表面变得光滑闪亮

三、表面着色处理

除了 3DP 与 PolyJet 等少数工艺，大部分 3D 打印无法直接制作颜色多彩的制件，要达到渐变色的效果更是难以实现。在这种情况下，可以在打印完成后，通过后期着色的方式使得制件达到想要的彩色效果。

1. 常见表面着色的方法

（1）笔绘涂抹　笔绘是利用画笔和颜料对制件进行手工上色（图 8-14）。画笔由大到小有多种尺寸，大笔可用于大块涂抹，而小的勾线笔则可以对细节处进行精密的上色；颜料最常使用的是丙烯颜料，通过混合可调出多种颜色，其附着力强，不会轻易脱落。此外，也可以使用马克笔直接涂色（图 8-15），马克笔为油性颜料，涂出的颜色光泽性好，无需调色，操作方便，缺点是颜色单一且不易凸显细节。

手绘的方式易学难精，虽然上手很方便，但要绘制出好的效果并不容易。大块上色时可以采用十字交叉法，在第一层快干还没干时，上第二层新鲜颜料，第二层的笔刷方向和第一层垂直；细节处则可以放在最后，用小笔慢慢绘制。笔绘的优点是适合处理复杂的细节之处。

图 8-14　画笔蘸颜料手绘

图 8-15　马克笔手绘

（2）喷涂上色　喷涂上色是使用喷笔、气泵或直接使用喷漆罐来喷涂颜料的一种上色方式。与笔绘相比，这种方式上色效率高，喷洒面积大，更适合用作大型零件的上色或在笔绘之前喷涂底色。使用喷笔加小气泵的方式（图 8-16）需要自行调配、稀释颜料，操作比较麻烦，优点是颜色多样且成本较低；直接使用手摇喷漆罐（图 8-17）则比较方便，不过成本较高且无法调色。

在喷漆之前，可以在制件表面先喷涂一层水补土。水补土有三个作用：一是检查塑件本身或打磨后的瑕疵；二是增加后续颜料的附着性；三是使最终颜色呈现的结果更准确。

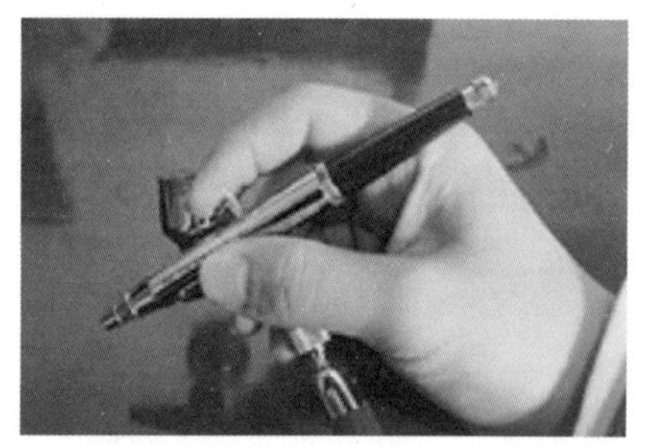

图 8-16　使用喷笔喷涂上色

图 8-17　使用手摇喷漆罐喷涂上色

对于 3D 打印件的着色除上述方法外，还有电镀、浸染、纳米喷镀、水转印等，但这些方法要么是可选颜色过少（如电镀只能镀出金色、镍色、铬色），要么是对着色对象材质要求过高（浸染仅适用于尼龙材料），要么是需要专用设备，成本较高（如纳米喷镀、水转印），并不是日常使用的着色手段，在此不做详细介绍。

2. 常用表面着色的工具和设备（表 8-3）

表 8-3 常用表面着色的工具和设备

名称	图片	简介
画笔		一般的画笔，需要搭配颜料使用。画笔型号由大到小非常齐全，使用时根据上色面积合理选用
丙烯颜料		这是常见的笔绘颜料，是一种水溶性颜料，比较环保安全，有几十种颜色，使用时可自行调色，价钱比较便宜
马克笔		使用前按压一两下，油性颜料就会进入到笔尖，直接涂抹上色；着色光洁度比较好，但涂错了无法清洗
喷笔套件		包含喷笔、气泵以及油水分离器等其他配件，搭配自行调制的水性漆使用，也可喷涂补土。使用时可以调节喷涂的流量与压力

（续）

名　　称	图　　片	简　　介
喷漆罐		也称自喷漆，是由阀门、容器、颜料组成的完整压力包装容器，按压使阀门打开时，颜料呈雾状喷射释放；使用方便，适合新手操作，价格比较贵，且颜色种类也较少

四、其他后处理方式

对于3D打印完成的制件，除了去支撑材料、打磨抛光、表面着色这三种常见的后处理方式，有时也需要对其进行其他处理。例如，拆件打印后，需要对部件进行拼接黏合，或有的制件需要进一步进行热处理使其改性，下面对这两种后处理方式进行基本介绍。

1. 拼接黏合

对于大尺寸或多部件的模型，经常还需要拼接构件并进行黏合（图8-18）。大部分塑料材料可以使用黏合剂黏合得很牢固，如ABS材质的制件可用丙酮黏合，黏合后强度非常理想。

由于存在倒角磨损或成型误差等因素，在两个部件的拼接接缝处时常会有缝隙。这种情况会严重影响制件美观，即使喷漆后表面的不平整也会非常明显。对此可以使用如AB补土这类填料填入缝隙（图8-19），再配合打磨手段将制件整体表面打磨平整，这样再进行着色处理后就不会再有拼接痕迹。

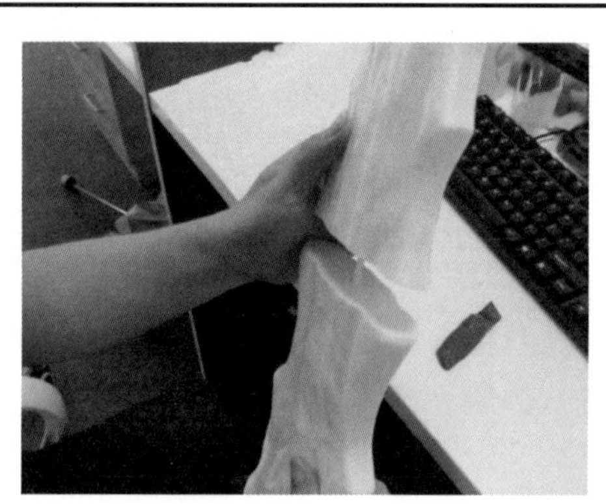

图8-18　拼接3D打印件

图8-19　在接缝处填补土

2. 热处理

3D打印件的热处理大致分为两类，一类是对金属制件进行回火处理，还有一类是对光固化类塑件进行加热固化处理，这两种热处理的目的均为对制件的改性。

对金属制件，由于在成型过程中激光将金属粉末瞬间加热至1000℃以上，之后又在高速气流作用下，在极短时间内冷却到100℃左右，材料组织结构经历了“奥氏体——马氏体”的转变，类似于经历了一次淬火。因此，金属制件从设备中取出时，其力学性能偏脆硬并且存在内应力，在电炉中（图8-20）进行高温回火后可以具备优良的综合力学性能。

光敏树脂成型的制件可能会因为UV灯或激光光源照射强度不足的原因而未充分固化，这样成型的制件会质地偏软，强度和硬度都比较差。因此，也可以把这类制件放入专门的烘箱（图8-21）中进行加热固化，从而得到充分固化、力学性能更优良的制件。

图8-20　加热金属制件的电炉

图8-21　加热塑料制件的烘箱

思考与练习

1. 增材制造后处理包含哪些内容，有何作用？
2. 常用去除支撑材料的方法有哪些，分别适用于什么场合？
3. 常用表面打磨与抛光的方法有哪些，分别适用于什么场合？
4. 常用表面着色的方法有哪些，分别适用于什么场合？

第三篇　职　业　篇

第九章

防微杜渐——增材制造安全生产

学习目标

1. 了解增材制造从业人员的安全隐患、防护措施与规范性要求。
2. 掌握增材制造设备与材料在使用、维护保养、储存及处理等方面的安全防护要求。
3. 了解增材制造行业中的7S管理的内容与意义。

一、增材制造从业人员的安全防护

1. 增材制造中的有害因素

增材制造是一种自动化程度比较高的生产方式，通常情况下不会对从业的工作人员造成太大的健康伤害。但是，如果不进行规范操作，依然会存在一些安全隐患。增材制造生产中对于操作人员的安全隐患主要来源于以下这些有害因素：

（1）高温喷头　对于FDM类型的设备，由于需要将塑料丝加热至黏流态才能挤出，因而喷头部分的温度会达到所打印的塑料材料的 T_f（流动温度）以上，通常喷头温度会超过200℃，部分情况下甚至会接近300℃。因此，当操作人员需要进行材料装载、疏通喷嘴、修理挤出模块等操作时，如果在未做防护的情况下，身体直接接触到加热的喷头，则会造成烫伤。此外，对于部分开放式的FDM设备，在打印时由于喷头暴露在外，也存在一定的接触烫伤隐患。

（2）树脂过敏　对于SLA与DLP类型的设备，需要在打印前将液态光敏树脂倒入成型仓中。虽然树脂在正常光固化后很安全，但目前对于未固化前的光敏树脂是否具有毒性存在很大争议。从成分上来看，光固化树脂与光引发剂、活性稀释剂以及各种助剂复配，在剂量不大时没有毒性，但对于敏感皮肤的人群，如果直接接触则有可能引发皮肤过敏，甚至可能引发更加有害的反应，包括哮喘和皮疹等。

（3）粉尘微粒　对于SLS、SLM这类以粉末作为耗材的增材制造设备，粉末的吸入与接触是危害操作人员安全的重要因素。金属3D打印粉末的粒径为10~70μm，这类粉末处于对人体的呼吸系统产生伤害的边缘。人体在吸入直径为10~70μm的粉末颗粒之后，这些细微的粉末颗粒可以沉积在气管和支气管中对人体造成损害。

（4）惰性气体泄漏 惰性气体（如氮气或氩气）在SLS、SLM类型的设备中会被使用，成型时惰性气体充满成型仓，以便为加工过程提供良好的抗氧化环境。惰性气体被存储在气瓶中或从发生器中生成，如果设备的稳定性不足，则气体可能产生泄漏，如此则会降低工作区域空气中的氧气比例。操作人员若长时间在含氧量不足的区域工作，会产生疲劳、头晕、眼花等症状，严重时甚至会有窒息的风险。

2. 增材制造从业人员的安全防护措施

针对增材制造生产中的各种有害因素，设备操作人员提前做好各类防护预防措施是非常必要的。良好的防护措施可以有效杜绝上述因素对于操作人员的伤害，大大降低发生安全事故的风险。可以从以下几个方面对从业人员进行安全防护。

（1）佩戴防护手套 佩戴防护手套是一种实施起来简单方便，同时又非常有效的防护手段。可以根据不同设备对应的不同风险类型，选择合适的手套类型。例如，操作、维修FDM设备时，考虑到接触高温喷头的风险，可以佩戴石棉隔热手套（图9-1）；在接触液态光敏树脂或刚刚成型的光敏树脂制件时，考虑到有接触过敏的风险，可以佩戴丁腈橡胶手套（图9-2）。

图9-1 石棉隔热手套

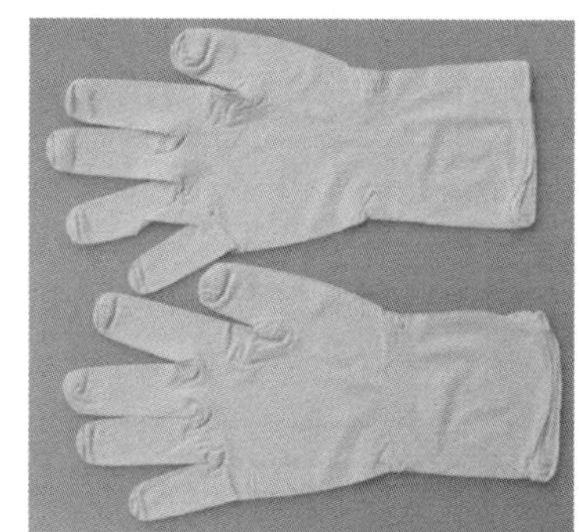

图9-2 丁腈橡胶手套

（2）穿戴个人防护装备 个人防护装备（PPE）可以为穿戴人员提供从上到下的全方位防护。除了包含前面提到的手套外，PPE中还包含覆盖手臂的防护外套、呼吸器或面罩、护目镜、安全鞋、防静电皮带等装备。使用PPE可以有效阻隔有害粉尘、烟雾、惰性气体带来的影响，为操作人员提供有效、全面的安全防护（图9-3）。全套PPE的防护效果虽然很好，但是它的缺点是成本过高、穿戴时间长而且会在一定程度上影响操作。因此，仅适用于少数防护要求非常高的场合。此外，也可以酌情选用PPE中的部分装备，如单独佩戴口罩等。

（3）设置氧气传感器 防止操作人员惰性气体窒息的另一个有效方式是在工作区域安装氧气传感器（图9-4）。氧气传感器可以对所处环境的含氧量进行实时监测。一旦发生惰性气体泄漏导致含氧量低于安全值，传感器就会触发警报以提醒现场人员立即撤离。

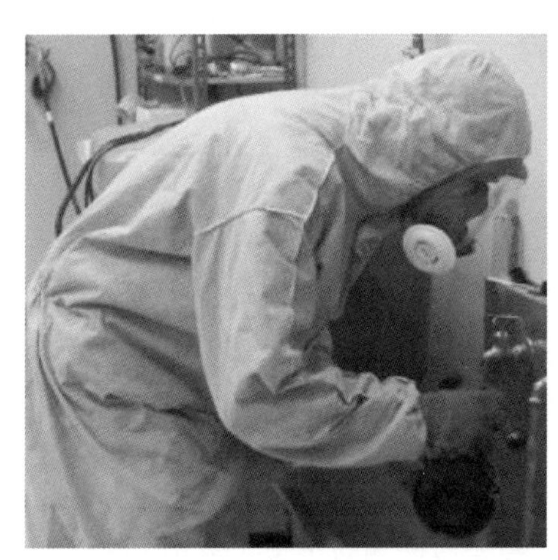
图 9-3 穿戴 PPE 进行工作

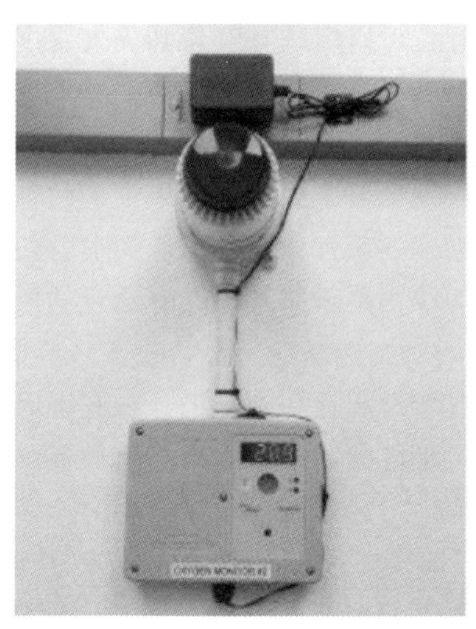
图 9-4 氧气传感器

3. 增材制造从业人员的规范性

增材制造作为一项专业性较强的生产方式，对从业人员的规范性有严格的要求，规范的资质、操作是保障相关人员安全最重要的因素。

首先，增材制造从业人员应当具备设备操作、场地管理的基本资质，必须做到持证上岗。在工作前要经过专门的培训，凡是没有操作证的人员不得擅自进行增材制造作业。上岗作业人员必须按规定穿戴防护用品，对于工作中的每一项作业以及情况要及时做好工作记录，以便于及时发现安全隐患或对于事故进行追溯；在增材制造作业前后，需要对设备及工作区域进行清理，同时也需定期对工作场所进行清扫、整理。此外，操作人员一定要严格遵守设备操作、维护保养的操作规程，具备按规办事的意识，不能在工作中耍“小聪明”、动“歪脑筋”。

二、增材制造设备与材料的安全防护

1. 增材制造设备的安全防护

增材制造设备是集机械结构与电气控制系统于一体的精密成型机器，合理的保养与维护是确保机器稳定性以及打印精度的必要条件，同时也是保持安全稳定生产的重要因素。对于增材制造设备的安全防护工作包含以下几个方面：

（1）维持设备良好的使用环境 维持设备工作的良好环境主要包括温度、湿度、静电及防尘 4 个方面。

1）温度是影响 3D 打印机稳定性的一个重要因素，尤其是电气控制部分对温度的变化很灵敏。例如，在大部分桌面级 3D 打印机的主板上有若干步进电动机的驱动模块，这是电气部分的主要发热源，通常会在这些驱动模块上加装散热片，否则温度过高时会启动过热保护而自动关机。

2）湿度是影响增材制造设备使用寿命的重要因素。长时间在湿度较高的环境下工作，3D 打印机的金属部件容易出现锈蚀的现象，而且电路板也会在布满灰尘的情况下因湿度过高而发生短路；如果湿度过低，则机器容易积累较多的静电。

3）静电会干扰机器的正常运行，出现中途无故暂停、坐标偏移、温度传感中断导致喷头温度急剧上升等故障。机器的金属外壳需要接地，特别是 DIY 机型要根据安装说明进行接地处理。如果机器外壳带有静电，触碰时会有感觉。

4）防尘也是保证增材制造设备日常使用需要考虑的因素。机器外露部件，特别是光轴等运动部件，一旦积尘将增大移动阻力，并且容易导致外露部件锈蚀；若灰尘进入电气控制部分，则会影响设备的散热以及造成短路。常用的防尘措施有：设备打印完毕后，盖上厚布或专用的防尘罩；定期打开电气控制部分的盖板，清理电路板以及散热片上的灰尘。

（2）定期进行维护与保养　按操作规程定期对设备进行维护与保养是保障增材制造设备长久稳定工作的重要因素。

对于 3D 打印机的活动结构件，要定期进行润滑（图 9-5）。润滑的部位包括：光杆与移动块之间、光杆与喷头之间、丝杠与螺母之间、内部传动结构之间等。常用的润滑剂有锂基脂、凡士林等。涂抹润滑剂前要先把机构上的粉尘、废润滑剂等清理干净，再在相关表面均匀涂抹一薄层即可。

图 9-5　对齿轮进行润滑

对于 3D 打印机上的易耗部件，需要定期进行检查、更换。例如，桌面级 FDM 设备中的同步带，长时间使用后会产生老化松弛，并且不可调节，此时就需要按型号整条更换；喷嘴孔在长期使用或者多次用工具疏通后容易变大，此时就需要更换对应型号的新喷头。各种增材制造设备上都有诸如此类的易耗部件，如不及时更换就会造成故障隐患。

（3）定期使用与测试　对增材制造设备，需要定期进行使用与测试。

如果 3D 打印机长时间搁置不用，则设备内的残余材料容易发生堵塞、变形等情况，电路部分也会受潮产生短路风险。最好能够保障 3D 打印机的使用频率，如果长时间没有加工生产任务，也可以中途开机打印一些小制件，这样有利于维持设备的正常使用。

3D 打印机还需要定期进行性能测试。在设备使用过程中，随着部件的损耗，导致机器性能下降，这就需要定期进行性能测试并根据测试情况微调机器以保证其性能。测试时，可打印特定形状的测试模型，根据打印出来的效果对机器进行微调，并总结、优化打印工艺参数。

2. 增材制造材料的安全防护

增材制造材料的储存、废料处理方式是至关重要的。不同种类、形态的材料需要不同的储存条件，而在成型过程中所产生的废料也需要用不同的方法去处理。

（1）材料的储存方式

1）对于各类丝盘状的塑料，如 PLA、ABS 等，适宜存储的湿度要求是≤50%。没有妥善储存的耗材会吸附灰尘、吸收水分，尤其是在我国南方地区，湿度总体比较大，材料长时间直接暴露在空气中，很容易吸收水分，变质的耗材易折断，并且在加热挤出时会发出爆裂的声响。未开封的丝材通常密封好（图 9-6），但已经开封的丝材，如果长时间不用，最好存放在有干燥剂的密封袋中。

2）液态光敏树脂应当采用深色不透明瓶避光保存（图 9-7）。在干燥、阴暗环境下，环境温度控制在10~28℃内，材料摆放远离热源和火源，并且严禁放置在儿童能够触及的位置。通常情况下，瓶中储存的树脂都是未经使用的，不要将使用过的剩余树脂材料重新倒回瓶内。

图9-6 丝材密封保存

图9-7 光敏树脂避光保存

3）粉末材料在使用前被储存在未开封的罐子中，而当罐子开封后，为了避免粉末飘散，最好将开封的罐子连同材料一起存放在专门的储存箱中（图9-8）。尤其是对于化学性质比较活泼的金属粉末，将其置于专门的储存箱中保存是非常有必要的。

（2）废料的处理方式

1）对于FDM类型的设备，废料来源主要是喷嘴流涎产生的“丝团”以及成型后剥离的支撑结构。这类废料没有什么危害性，只需正常清理即可。

2）由于液态光敏树脂废料具有轻微刺激性与挥发性，不能直接倒入普通的废水槽。正确的做法是将树脂液先倒入透明塑料袋中，将之放在阳光或UV灯光下照射，待塑料袋中的树脂完全固化后，再将固态的塑料进行处理。

3）粉末废料的处理尤其需要注意。小颗粒的粉末容易飘散在空气中，对此最常用的方法是使用吸尘器来进行清理。注意，严禁使用一般的家用吸尘器（有爆燃危险），一定要使用专门的防爆吸尘器（图9-9）来吸除。

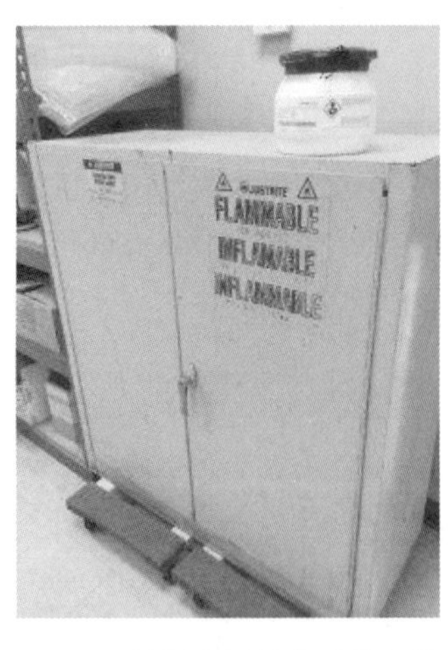

图9-8 放置金属粉末的储存箱

图9-9 防爆吸尘器

三、增材制造安全文明生产管理

1. 增材制造生产的管理

“7S”起源于日本，是指在生产现场中对人员、机器、材料、方法等生产要素进行有效的管理，是一种独特的管理方法。所谓“7S”管理，是指整理、整顿、清扫、清洁、素养、安全和节约。因为这 7 个单词前面的发音都是“S”，所以统称为“7S”，如图 9-10 所示。

1）整理是把工作场所全部物品进行明确的区分，分为需要的与不需要的东西，需要的留下来，不需要的彻底清除掉。这是开始改善增材制造生产现场的第一步，对生产现场摆放和停滞的各种物品进行分类。其次，清理生产现场。例如，对于现场剥离的支撑材料、3D 打印的半成品、废品、多余的工具、报废的 3D 打印设备等，坚决清理掉。这样可以腾出更多空间，以便于灵活运用。坚决做好这一步，是建立好生产场所形象的开始。

图 9-10 “7S”的含义

2）整顿是把留下来的东西进行定位定置，并且明确地加以标识的过程。通过前一步整理后，对生产现场需要留下的物品进行科学合理的布置和摆放，可以使工作场所整洁明了，物品一目了然，减少取放物品的时间，提高工作效率，保持井井有条的工作秩序；同时减少寻找所需物品的时间，减少库存的浪费，在最有效的规章、制度和最简捷的流程下完成作业。

3）清扫是将不需要的东西加以清除、丢弃，以保持工作场所无垃圾、无污秽的状态。把工作场所打扫干净，增材制造设备异常时马上修理，使之恢复正常。例如，3D 打印过程中会产生粉尘、垃圾、废料、支撑材料等，使现场变脏乱，会使设备精度降低，故障多发，影响产品质量；脏乱的现场更会影响人们的工作情绪，使人不愿久留。因此，必须通过清扫活动及时清除那些脏物，创建一个明快、舒适的工作环境，才能真正意义上保证产品的品质，最终达到企业生产零故障和零损耗的目标。

4）清洁是清扫过后对工作场所及环境整洁美观维护的过程，可以使工作的人感觉干净、卫生而产生动力。整理、整顿、清扫之后要认真维护，使现场保持最佳状态。清洁是对前三项活动的坚持与深入，从而消除发生安全事故的根源，创造一个良好的工作环境，使职工能愉快地工作，这也是一个企业形成企业文化的开始。

5）素养即教养，是培养文明礼貌习惯，按规定行事，养成严格遵守规章制度的习惯和工作作风的过程。没有高素质的人员，各项活动就不能顺利开展，即使开展了也坚持不了。所以开展“7S”活动要始终着眼于提高人员的素质，这是“7S”活动的核心。

6）安全是清除隐患、排除险情、预防事故发生的过程。对于从事增材制造工作的人员来说，这是非常重要的过程，如预防粉末扬尘严重、火灾或爆炸事件的发生等。对于企业来说，安全工作尤为重要，只有保障员工的人身安全、保证生产安全正常有序进行，同时减少因安全事故带来的经济损失，才能创造更大的价值。

7）节约是对时间、空间、能源等方面合理利用，以发挥它们的最大功效，从而创造一个高效率、物尽其用的工作场所。能用的东西尽可能利用，以自己就是主人的心态对待企业的资源，切勿随意丢弃，丢弃前要考虑到其剩余使用价值，这是节约的核心思想。

2. 增材制造“7S”管理的意义

1）浪费为零——“7S”是节约能手。“7S”能减少库存量，排除过剩生产，避免半成品报废，金属、无用成品储存过多；避免购置不必要的机器、设备；避免寻找、等待等动作引起的时间浪费；消除拿起、放下、搬运等无附加价值动作。

2）亏损为零——“7S”是最佳的推销员。行业内干净、整洁的工作场所，无缺陷、无不良、配合度好的声誉会口口相传，忠实的顾客会越来越多；企业知名度越来越高，很多人慕名来参观；这样品质的公司，客户会以购买这家公司的产品为荣。维持良好习惯，以整洁为基础的企业最终会有更大的发展空间。

3）产品不良率为零——“7S”是品质零缺陷的护航者。产品按增材制造工艺要求生产；工厂环境整洁有序、一目了然；干净整洁的生产现场，可以提高员工品质意识；增材制造设备正常使用与保养，增材制造材料良好地被储存，预防的优势远远高于处理。

4）缺勤率为零——“7S”可以创造出快乐的工作岗位。工位干净，无灰尘、无垃圾的工作场所让人心情愉快，一目了然的工作场所没有浪费等问题，这样的工作成为一种乐趣；这样的工作给人以信念，员工会由衷感到满足和自豪。

5）投诉为零——“7S”是标准化的推动者。每个人正确地执行各项规章制度，按规章制度上岗作业，清楚自己的岗位要求和目标，这样的工作状态和谐又舒适。

6）故障为零——“7S”是交货期的保证。增材制造设备经常被擦拭和保养，生产率高；工量具管理良好，出现问题的次数和时间减少；设备产能、人员效率稳定，综合效率提高。

7）事故为零——“7S”是安全的软件系统。整理、整顿后，物品放置、搬运方法等考虑了安全因素；工作场所宽敞、明亮，危险、注意等警示标志明确；员工正确操作设备，并及时进行清洁、检修，预先发现存在的问题，从而消除安全隐患；消防设施齐备，逃生路线明确，员工生命安全有保障。

8）切换产品时间为零——“7S”是高效率的前提。设备、工具经过整顿，不需要过多的寻找时间；洁净规范的工厂中机器正常运转，作业效率明显提高，让企业的效率稳步提高。

思考与练习

1. 增材制造中对于从业人员的危害因素有哪些，应当对应采取哪些安全措施？
2. 增材制造设备的安全防护工作包含哪些内容？
3. 增材制造材料的储存与废弃应当注意什么？
4. 阐述增材制造生产“7S”管理的具体内容。

第十章

栋梁之才——增材制造工作岗位

学习目标

1. 熟悉增材制造行业的工作岗位。
2. 了解增材制造工作岗位应具备的技能与职责。

一、增材制造造型设计师

1. 岗位简介

增材制造造型设计师（图 10-1）属于增材制造设计岗位。该岗位主要负责产品三维模型的设计，需要与客户沟通了解需求，并绘制二维与三维产品模型图。增材制造造型设计师需要熟练掌握二维与三维设计软件操作方法，具备较强的创新与沟通能力，并能够融合客户需求与自身创意进行产品造型的设计。

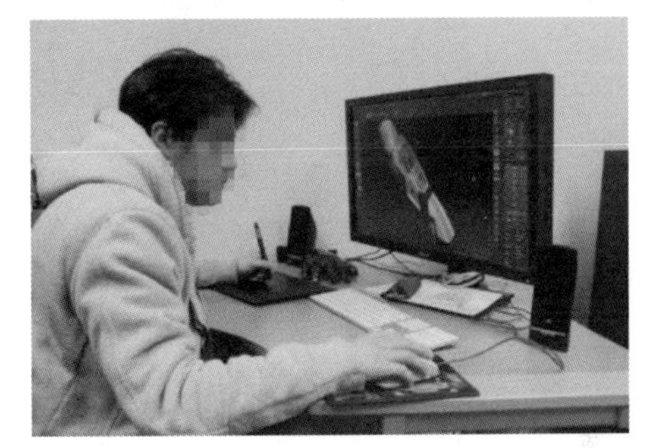

图 10-1 增材制造造型设计师

2. 工作职责与任职能力（表 10-1）

表 10-1 增材制造造型设计师工作职责与任职能力

工作职责说明	任职能力要求
☆与客户沟通，了解产品设计需求 ☆构思产品造型，绘制设计原稿，导出平面效果图 ☆使用平面设计软件对产品进行二维平面图的绘制 ☆使用三维设计软件进行产品三维造型	☆能深刻理解企业理念、挖掘企业文化，能以作品展示企业内涵 ☆熟练使用平面设计和三维设计软件 ☆能够进行典型零件的二维、三维造型 ☆有较强的美学素养，独特的设计风格，独到的创意观点、色彩审美观及较强的创意设计表达能力 ☆有企业宣传资料的设计、制作与创新经验为优 ☆具备创新能力与创造精神，对事物具有超前性、前瞻性、新颖性、创造性等方面的认识和把握，善于钻研并勇于突破 ☆具备一定的沟通能力，能了解并耐心聆听领导或客户的设计要求，在合作过程中能进行良好的沟通 ☆做事有激情，思维活跃，勤奋刻苦，责任心及执行力强，有良好的协作和服务意识

二、增材制造逆向造型设计师

1. 岗位简介

增材制造逆向造型设计师（图 10-2）属于增材制造设计岗位。该岗位主要负责根据实物逆向反求模型的三维造型，需要采集实物三维数据并进行数据处理，再对照点云数据进行逆向工程。增材制造逆向造型设计师需要具备数据采集设备的操作能力，能够使用专用的软件对采集点云进行修复、精简、合并，并对应进行逆向建模，同时也需要严谨的、精益求精的做事态度。

车灯逆向造型设计动画

图 10-2　增材制造逆向造型设计师

2. 工作职责与任职能力（表 10-2）

表 10-2　增材制造逆向造型设计师工作职责与任职能力

工作职责说明	任职能力要求
☆采用正确的测量方法获取三维模型数据 ☆利用三维扫描仪获得物体表面每个采样点的三维空间坐标及色彩信息，生成三维模型 ☆使用点云处理软件对测量的数据进行处理 ☆根据产品的市场需求和企业要求，比对扫描数据进行模型的逆向设计与改型	☆掌握三维光学扫描仪及相关数据采集设备的操作 ☆熟练使用点云处理软件和逆向三维设计软件 ☆能够进行点云数据的编辑处理 ☆能够导入点云并对应完成逆向三维造型 ☆具有严谨求实的工作态度，认真对待并设计完成每一处产品细节 ☆具备创新能力与创造精神，对事物具有超前性、前瞻性、新颖性、创造性等方面的认识和把握，善于钻研并勇于突破 ☆具备一定的沟通能力，能了解并耐心聆听领导或客户的设计要求，在合作过程中能进行良好的沟通 ☆做事有激情，思维活跃，勤奋刻苦，责任心及执行力强，有良好的协作和服务意识

三、增材制造模型工艺员

1. 岗位简介

增材制造模型工艺员（图 10-3）属于增材制造生产岗位。该岗位主要负责将设计好的三维模型进行格式转换，并根据 3D 打印的工艺性要求进行结构校正，综合考虑工艺性与使用性设置工艺参数并生成、输出加工程序。增材制造模型工艺员需要熟悉 3D 打印的生产工艺流程，了解 STL 模型的常见问题，了解模型的摆放与设置支撑结构的影响，能够设置合理工艺参数来输出加工程序。

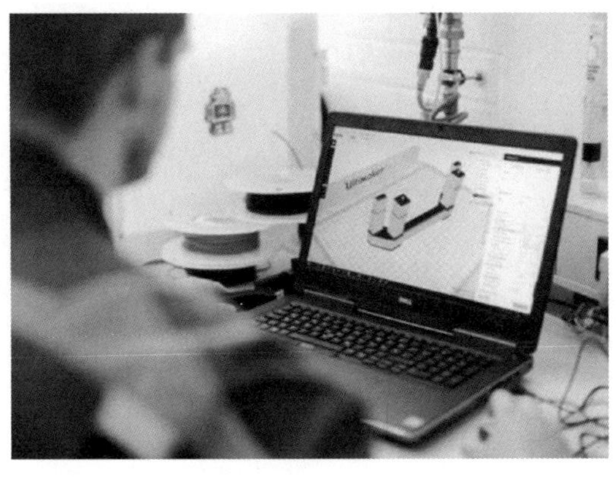

图 10-3 增材制造模型工艺员

2. 工作职责与任职能力（表 10-3）

表 10-3 增材制造模型工艺员工作职责与任职能力

工作职责说明	任职能力要求
☆使用转换工具将三维模型转换成 STL 格式文件 ☆将 STL 文件中存在的问题进行修复，对数据模型进行校正、编辑 ☆能够确定模型的摆放方式并设置合理的支撑结构 ☆使用合适的软件对三维模型进行切片处理，并确保打印件的质量和精度 ☆针对不同的设备硬件、打印材料和打印需求，设置不同的参数，正确生成并输出数控指令文件（G 指令）	☆熟悉工业产品 3D 打印要求和工艺流程 ☆了解 3D 打印机的打印操作步骤，掌握各类设备支持读取的文件类型和格式 ☆了解 STL 模型的常见错误类型和影响，具备修复模型的能力 ☆了解各类支撑结构的差异性以及其对打印稳定性与制品质量的影响 ☆熟悉各类 3D 打印的主要工艺参数，了解调整参数对打印稳定性、加工时间和制件质量的影响 ☆具备一定的沟通能力，在工作中能进行良好的沟通 ☆做事有激情，思维活跃，勤奋刻苦，责任心及执行力强，有良好的协作和服务意识

四、增材制造设备操作员

1. 岗位简介

增材制造设备操作员（图 10-4）属于增材制造生产岗位。该岗位主要负责操作增材制造设备进行任务生产，根据要求选用并装载耗材，使用 3D 打印机完成制作产品并做好监测、记录工作。增材制造设备操作员需要充分了解 3D 打印机的操作步骤和注意事项，熟悉各种耗材类型及应用场合，能够及时针对打印过程中出现的情况进行判断并妥善处理，同时需要勤奋刻苦的做事态度与较强的责任心与执行力。

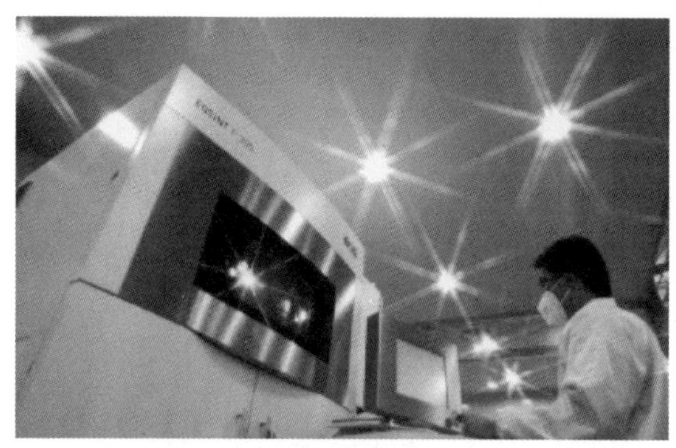

图 10-4　增材制造设备操作员

2. 工作职责与任职能力（表 10-4）

表 10-4　增材制造设备操作员工作职责与任职能力

工作职责说明	任职能力要求
☆根据产品需要熟练选择不同的材料进行增材制造生产 ☆对产品所使用的耗材提出优化建议 ☆配合公司新产品的试产，积极探索改进工艺、提高质量、降低成本的新方法 ☆配合质量检测人员做好过程检验，不让不合格品流入下道工序，严格按照企业规定和质量要求，保证产品质量 ☆在生产过程中定期检查，确保打印过程正常，产品合格，严格按产品类型分配耗材 ☆按时填写、整理车间生产日志和生产数据，做到数据准确、交接清楚 ☆根据设备运行情况，适时提出建议，并对设备的维护、检修进行验收 ☆负责生产主控室的设备操作，优化设备开启流程，降低能耗与机械损耗	☆熟悉工业产品增材制造生产要求和工艺流程 ☆了解增材制造设备的打印操作步骤和注意事项 ☆了解打印件的性能、用途和规格 ☆熟悉增材制造生产中的主要耗材类型及其应用 ☆能够熟练操作 3D 打印机，在设备运转过程中不断调整，确保产品质量符合打印件的品质要求 ☆能够及时处理并上报打印过程中出现的突发事件，及时解决问题 ☆能够做好当班及所负责增材制造设备的所有资料整理，按时记录，按时上交，并将有关情况及时向班组长或设备主管汇报 ☆做事勤奋刻苦，具备责任心及执行力强，有良好的协作和服务意识

五、增材制造质检工程师

1. 岗位简介

增材制造质检工程师（图 10-5）属于增材制造检测岗位。该岗位主要负责增材制造生产各环节的监督、检测以及对生产质量的管理与优化，并对产品原材料、3D 打印件进行检测，根据检测结果给定处理意见，并做好记录。增材制造质检工程师需要了解相关的质量标准，掌握检测技能，能够制作质检报表，同时具有严谨细致的工作态度和具备非常强的质量意识。

图 10-5 增材制造质检工程师

2. 工作职责与任职能力（表 10-5）

表 10-5 增材制造质检工程师工作职责与任职能力

工作职责说明	任职能力要求
☆对原材料进行复检 ☆根据半成品、成品规格及标准要求，按照生产工艺和检验方法检测半成品、成品的产品质量 ☆按照企业出厂产品检验规范和检验标准进行检验，包含数量检查、打印产品精度和形状检查等 ☆对检验中出现的问题产品进行分析，判断是否影响产品质量，确定产品合格性 ☆对生产过程中出现的不合格产品和不合格批次进行鉴定，监督不合格品的处理过程 ☆组织对生产过程中质量控制进行全面管理 ☆对经过检验、符合成品出厂要求的产品出具产品质量检验合格报告 ☆对检验工具进行管理 ☆及时填写成品质量记录及质量报表，做好质量报表的统计工作	☆了解增材制造材料的种类和特点以及相关的国家标准 ☆掌握增材制造的工艺过程 ☆了解企业生产计划、产品特点和属性 ☆了解企业出厂产品检验规范和检验标准，能够根据检验标准进行质量检查 ☆具备一定的办公软件操作技能，能够制作质检报表 ☆具有严谨求实的工作态度，认真核查产品的每一处尺寸与质量情况 ☆具备一定的沟通能力，在工作中能进行良好的沟通 ☆做事有激情，思维活跃，勤奋刻苦，具备责任心，执行力强，有良好的协作和服务意识

六、增材制造产品上色工程师

1. 岗位简介

增材制造产品上色工程师（图 10-6）属于增材制造后处理岗位。该岗位主要负责 3D 打印件的上色工作，根据要求选取工具，对产品上色并进行保护处理。增材制造产品上色工程师需要充分熟悉增材制造产品上色工艺的流程和注意事项，了解提高上色效率和效果的方法，掌握对风干后的颜料进行保护的措施，同时也需要具有良好的色彩审美观。

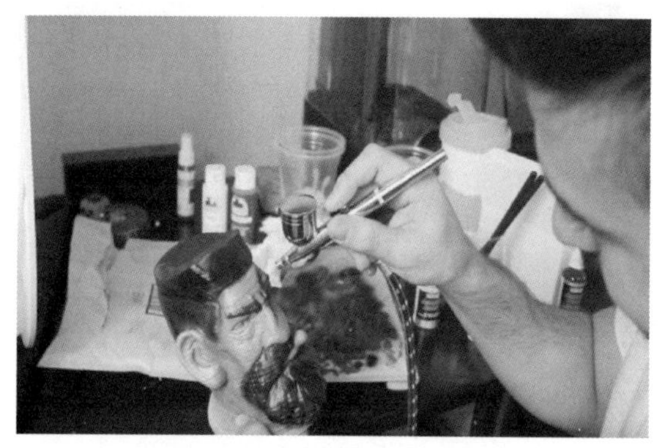

图 10-6 增材制造产品上色工程师

2. 工作职责与任职能力（表 10-6）

表 10-6 增材制造产品上色工程师工作职责与任职能力

工作职责说明	任职能力要求
☆使用合适的上色材料和工具，选择合适的方法对 3D 打印件进行上色处理 ☆掌握 3D 打印件上色工艺的流程和注意事项，提高上色的效率和效果 ☆根据产品的需要，能够利用上色工具进行上色 ☆上色初步完成后，注意产品颜色的风干和保护，防止被损坏 ☆上色完成后，对产品颜色进一步处理，防止掉色和变色 ☆与设计人员及时沟通，防止上色错误	☆能够使用合适的上色材料和工具，选择合适的方法对 3D 打印件进行上色处理 ☆能够根据 3D 打印件上色工艺的流程和注意事项，提高上色的效率和效果 ☆能够根据产品的需要，利用手绘笔、喷笔等上色工具进行上色 ☆能够上色时保持产品的干净整洁 ☆能够在上色初步完成后，使用合理的方法对产品颜色进一步处理，防止掉色和变色 ☆具有独到的创意观点、色彩审美观及较强的表达能力 ☆具备沟通能力，在工作中能进行良好的沟通 ☆具备创新能力与创造精神，对事物具有超前性、前瞻性、新颖性、创造性等方面的认识和把握，善于钻研并勇于突破 ☆做事有激情，思维活跃，勤奋刻苦，具备责任心，执行力强，有良好的协作和服务意识

七、增材制造设备维护工程师

1. 岗位简介

增材制造设备维护工程师（图 10-7）属于增材制造维护岗位。该岗位主要负责增材制造设备在使用中的常规维护保养以及故障问题的排除，按照维修单做好问题诊断与维修，及时进行固件升级，制订并实施设备的维护保养计划。增材制造设备维护工程师需要熟练掌握3D 打印机的工作原理、设备安装、维护方法和注意事项，具备基本的识图能力以及机械维修方面知识，同时具有良好的自身素养和工作态度，能够做到吃苦耐劳。

图 10-7 增材制造设备维护工程师

2. 工作职责与任职能力（表 10-7）

表 10-7 增材制造设备维护工程师工作职责与任职能力

工作职责说明	任职能力要求
☆根据增材制造设备的组装程序和步骤进行增材制造设备的组装工作 ☆完成增材制造设备的机械维修工作，按照维修单及时做好问题诊断与维修 ☆及时进行固件升级，修复机器中存在的漏洞，为机器扩展新的功能，掌握固件升级的注意事项 ☆按增材制造设备保养手册和设备说明书制订保养计划和建议，并按计划实施保养工作，尽量避免打印过程中出现异常 ☆指导增材制造设备操作工完成设备使用及简单保养工作 ☆做好日常设备的巡视检查工作，及时发现问题，处理隐患 ☆根据备件消耗情况负责提交降耗建议，并逐步降低所管区域备件消耗	☆熟练掌握 3D 打印机的工作原理、设备安装维护的方法和注意事项 ☆了解机械制图方法，具有识图能力，并具备机械维修方面知识 ☆能够及时对 3D 打印过程中出现的设备故障进行解决和修理 ☆能够根据要求正确组装 3D 打印机的整体框架、控制器、电源、电路板、驱动电机等零部件，安装限位等 ☆能够采取适当的方法保护打印平台，防止从平台上取下打印件时破坏平台 ☆根据 3D 打印过程中出现的不同问题采取不同的维护方法，能够全面地分析问题并解决问题 ☆熟悉增材制造设备的安装和调试步骤 ☆有较强的创新精神，善于钻研，勇于突破 ☆具有良好的自身素养和工作态度，能够吃苦耐劳、不怕脏、不怕累 ☆做事有激情，思维活跃，勤奋刻苦，具备责任心，执行力强，有良好的协作和服务意识

八、增材制造开发工程师

1. 岗位简介

增材制造开发工程师（图 10-8）属于增材制造研发岗位。该岗位主要负责增材制造设备的开发设计，需要对 3D 打印机的结构进行设计，对核心模块进行开发，并对所研发的增材制造设备进行测试与调整。增材制造开发工程师需要具备一定的开发经验，具备面向对象与数据库的设计能力，能够使用开发和调试工具，同时也需要具备一定的美学素养与创新能力。

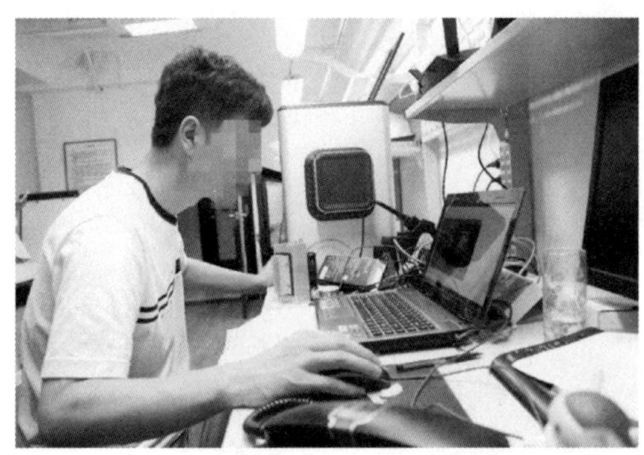

图 10-8　增材制造开发工程师

2. 工作职责与任职能力（表 10-8）

表 10-8　增材制造开发工程师工作职责与任职能力

工作职责说明	任职能力要求
☆积极关注行业发展动态，积累设计素材 ☆广泛开展市场调研工作，收集相应技术、产品信息 ☆负责产品系统设计、概念设计和详细设计 ☆从事产品核心模块开发工作 ☆产品核心技术攻关、新技术的研究 ☆对研发的 3D 打印机进行单元测试	☆有两年以上的相关产品开发经验，对算法设计、数据结构有深刻的理解，了解协议栈 ☆熟悉面向对象设计，数据库设计，开发模式、UML 建模语言和数据库模型设计工具 ☆能够熟练使用开发和调试工具进行系统软件开发 ☆了解或熟悉 3D 打印机，参与过 3D 打印机的设计、开发与调试为优 ☆具备较强的学习能力和逻辑思维能力，具备较强的分析能力 ☆具有良好的沟通技巧和团队合作精神，具有研究和创新能力 ☆具备较强的美学素养，独特的设计风格，独到的创意观点、色彩审美观及较强的创意设计表达能力 ☆具备创新能力，对事物具有超前性、前瞻性、新颖性、创造性等方面的认识和把握

九、增材制造设备销售员

1. 岗位简介

增材制造设备销售员（图 10-9）属于增材制造销售岗位。该岗位主要负责增材制造设备与服务的推广、销售工作，需要了解企业与市场动态，拓展、维护市场关系，完成销售目标。增材制造设备销售员需要及时洞察增材制造行业的最新动态，具备较强的产品销售技能和市场推广技能，不断开发有效客户，并对客户进行管理和维护，同时也需要具备较强的沟通和抗压能力。

图 10-9 增材制造设备销售员

2. 工作职责与任职能力（表 10-9）

表 10-9 增材制造设备销售员工作职责与任职能力

工作职责说明	任职能力要求
☆全面了解与公司产品相关联业务的市场动态 ☆了解竞争对手的业务市场状况和市场行动 ☆了解企业生产部门整体生产的剩余能力 ☆了解公司现有研发能力的现状 ☆对增材制造设备进行线下销售 ☆制定销售目标，并完成既定的销售任务目标，提高客户满意度 ☆按需要参与各种增材制造设备的销售展示、会议以及市场活动，提供现场技术支持，与客户互动，开拓并维护客户关系 ☆对客户和经销商进行客户关系管理	☆了解增材制造工艺在各类市场领域的应用 ☆能够及时洞察增材制造新动态及其新的应用方式，熟悉产品的特点、功能和规格 ☆了解增材制造产品的商业模式及盈利价值 ☆具备较强的产品销售技能和市场推广技能，能不断开发有效客户，并对客户进行管理和维护 ☆具备较强的抗压能力 ☆具备良好的客户服务意识，有责任心，执行力强 ☆有较强的创新精神，善于钻研，勇于突破 ☆反应敏捷、表达能力强，具有较强的沟通能力及交际技巧，具有亲和力

思考与练习

1. 增材制造造型设计师的职责是什么，应当具备哪些能力？
2. 增材制造逆向造型设计师的职责是什么，应当具备哪些能力？
3. 增材制造模型工艺员的职责是什么，应当具备哪些能力？
4. 增材制造设备操作员的职责是什么，应当具备哪些能力？
5. 增材制造质检工程师的职责是什么，应当具备哪些能力？
6. 增材制造产品上色工程师的职责是什么，应当具备哪些能力？
7. 增材制造设备维护工程师的职责是什么，应当具备哪些能力？
8. 增材制造开发工程师的职责是什么，应当具备哪些能力？
9. 增材制造设备销售员的职责是什么，应当具备哪些能力？

大国工匠——增材制造行业知名人物

学习目标

了解增材制造行业大国工匠事迹，激发学生学习成才的信心。

一、卢秉恒——中国增材制造技术领域的奠基者

1. 主要经历

1967 年，合肥工业大学本科毕业；

1986 年，获得西安交通大学工学博士学位，赴美国密歇根大学作为高级访问学者及客座研究；

1991 年，获得国务院学位委员会、教育部授予的“做出突出贡献的中国优秀博士学位获得者”荣誉称号；

2000 年，获得国家科技进步二等奖；

2005 年，获得国家技术发明二等奖，同年，当选为中国工程院院士；

现任西安交通大学教授、博士生导师、先进制造技术研究所所长，担任快速制造国家工程研究中心主任、教育部及陕西省快速成型工程研究中心主任。

2. 人物事迹

卢秉恒教授主要从事快速成型制造、微纳制造、生物制造、高速切削机床等方面的研究，先后主持 20 余项国家重点科技攻关项目。他在国内倡导开拓了快速成型制造、生物制造工程、农业节水灌水器件快速开发、微压印光刻制造等技术领域的研究，主持完成的“快速成型制造的若干关键技术及其设备”获国家科技进步二等奖。

自 1993 年以来，他在国内率先开拓光固化快速成型制造系统研究，开发出国际首创的紫外光快速成型机及具有国际先进水平的机、光、电一体化快速制造设备和专用材料，形成

了一套国内领先的产品快速开发系统，其中5种设备、3类材料已形成产业化生产。该系统可以大大缩短机电产品开发周期，对提高我国制造业竞争能力起到重要作用。

他曾先后担任“国家自然科学基金”评审委员，教育部高等学校机械学科教学指导委员会委员，机械设计制造及自动化专业分会副主任，承担国家“九五”“十五”重点科技攻关5项，国家863计划2项，国家自然科学基金4项，省市重点项目3项。

2015年8月，国务院总理李克强主持国务院专题讲座，特邀卢秉恒讲授先进制造和3D打印技术，包含国务院总理、副总理、国务委员在内，以及各部部长、央企、金融机构负责人等诸多人员都是这场报告的听众。

2016年，由卢秉恒院士牵头的增材制造国家研究院有限公司在西安挂牌成立。该院由西安交通大学、北京航空航天大学、西北工业大学、清华大学和华中科技大学5所大学发起，由增材制造装备、材料、软件生产及研发等领域的13家重点企业共同组建，汇聚国内外高端人才及相关国家重点实验室、工程中心和工程实验室等科研资源，为“中国制造2025”中的国内制造业的转型和创新发展提供了重要支撑。

二、颜永年——享誉“中国3D打印第一人”称号

1. 主要经历

1962年，毕业于清华大学机械系，获优良毕业生证书；

1962年，任职于清华大学机械系，曾任机械系副系主任，清华大学学术委员会委员；

1987年，前往美国加州大学洛杉矶分校（UCLA）作为访问学者；

1997年，任中国机械工程学会特种加工分会快速成型技术委员会主任；

2008年，任苏州昆仑先进制造技术装备有限公司与苏州昆仑重型装备制造有限公司总经理；

2012年，任昆山永年先进制造技术有限公司与江苏永年激光成型技术有限公司董事长；

颜永年在清华大学工作期间5次被评为清华大学“校级先进工作者”，他至今仍是中国机械工程学会特种加工分会的终身高级顾问，以及SCI源期刊《Rapid Prototyping Journal》（英国）的编委。

2. 人物事迹

颜永年教授20世纪70年代初开始从事金属材料锻压成形工艺和设备，特别是预应力结构的重型模锻设备与工艺方向的研究。沿着材料成型加工这条主线，1989年开始进行快速成型研究，1998年从事生物材料的快速成型从而进入生物制造领域，主攻生物制造、快速成型和重型机器三个方向。

他将制造科学引入生命科学领域，提出“生物制造工程”（Organism Manufacturing Eng.）学科概念和框架体系，为制造科学发展提出了全新的方向。他将细胞或细胞材料视作受控组装的微滴，根据3D打印“离散—堆积”的成型原理，组装成三维结构，用以探索活体组织、人体器官的修复与制造以及仿生产品的制造。在国家863、985工程和清华国家实验室学科交叉基金支持下，他在2000年完成制造MedForm设备，2001年完成制造生物材料快速成型机，2002年完成制造TissForm设备，2004年完成制造细胞直写系统和细胞打印机（Cell Printing），建立了具有国际先进水平的生物制造工程实验室，被业界誉为“中国3D打印第一人”。

三、王华明——中国激光3D打印引路人

1. 主要经历

1989年，获得中国矿业大学（北京研究生部）矿山机械工程摩擦学专业博士学位；

1991年，在中国科学院金属研究所晋升为副研究员，作为国家自然科学基金重大项目中方负责人赴日本丰桥技术科学大学进行国际合作研究；

1992年，被德国洪堡基金会授予“洪堡研究奖学金”，赴德国埃尔兰根—纽伦堡大学金属科学与技术研究所从事激光材料表面改性等相关研究；

1994年，在北京航空航天大学从事教学与科研，1年后晋升教授；

2005年，成功实现三种激光快速成型钛合金结构件在两种飞机上的装机应用，使我国成为世界上第二个掌握该项应用技术的国家；

2006年，受聘为北京航空航天大学材料科学与工程学院“长江学者特聘教授”；

2012年，在第八届中国设计业十大杰出青年评选中获得“中国设计贡献奖银质奖章”；

2013年，入选万人计划“科技创新领军人才人选”。

2. 人物事迹

作为教育部“长江学者”特聘教授、博士生导师及材料加工工程学科责任教授，王华明教授自1994年回国以来，十年如一日，一直兢兢业业地工作在教学工作第一线，讲授了本科生《物理冶金原理》、研究生《先进材料制备科学技术》等14门主要课程，亲自担任本科生“材料制备与合成”自主综合实验负责人及本科生班主任，他对教学高度负责、特别注重学生全面素质教育以及科研方法、创新能力与严谨学风的培养，言传身教，既教书又育人，被评为“学生最爱戴老师”。

在北京航空航天大学开辟快速凝固激光材料制备与成型研究新方向，研究成功国内首套“动密封/惰性气体保护”钛合金结构件激光快速成型成套工艺装备，突破飞机钛合金结构件激光快速成型关键工艺及应用关键技术，并在两种重点型号飞机上成功装机应用，使我国成为继美国之后、世界上第二个掌握激光快速成型飞机钛合金结构件及在飞机上装机应用技术的国家。

由他发明并在国际首创的“定向生长柱晶高温钛合金”及其航空发动机叶片激光约束熔铸快速成型技术，使得叶片的高温持久寿命提高10倍以上，为高温钛合金的发展提供了一条新途径；在国际上提出“激光熔覆过渡金属硅化物高温耐磨耐蚀多功能涂层材料”研究新领域，研究成功具有优异的高温耐磨耐蚀性能、多元多相金属硅化物多功能涂层材料新体系十余个，授权“发明专利”5项并受到《先进涂层与表面技术》等国际期刊的“专题报道”。

四、史玉升——“国家科技进步奖”获得者

1. 主要经历

1996年，获得中国地质大学（武汉）勘察与建筑工程学院工学博士学位；

1994年，任中国地质大学（武汉）勘察与建筑工程学院机械工程教研室副主任、副教授；

2004年，任华中科技大学材料成型与模具技术国家重点实验室副主任；

2006年，任华中科技大学材料科学与工程学院副院长、教授；

2008年，任武汉滨湖机电技术产业有限公司董事长；

2012 年，任先进成型技术与装备工程实验室主任，同年，任职中国 3D 打印技术产业联盟第一副理事长、联席理事长。

2. 人物事迹

史玉升教授围绕粉末成型（包括选择性激光烧结快速成型、选择性激光熔化快速成型、激光/等静压复合近净成型）、生态农业滴灌节水产品快速开发等领域的关键技术和基础理论开展了长期而又系统的研究。围绕这些领域，他承担 863 重大项目等 28 项，作为第一负责人主持 16 项，成果达到国际先进或领先水平，获国家二等奖 1 项、省部级一等奖 1 项、省部级二等奖 3 项。他领导的研究团队获 2004 年湖北省自然科学基金创新群体，建立了成套的农业节水产品低成本快速开发理论与方法，取得一系列创新成果，并得到应用。

他建立了选择性激光烧结快速成型技术（SLS）的成套学术体系与系统，在国内外 200 多家单位得到广泛应用，取得了显著的经济与社会效益；继德国后，在国内率先研制成功了采用半导体泵浦和光纤激光器的商品化 SLM 装备，为复杂精细金属零件/模具的直接快速成型提供了新的制造模式和手段；提出了将激光粉末快速成型与等静压技术复合起来近净成型制造高性能复杂结构零件的新思想；提出了随形冷却水道精密注射模数字化设计制造的新原理；开创了节水产品低成本快速开发理论与方法。他的许多研究得到广泛应用，经济效益明显，社会效益尤为显著。

其研究成果还被各种专著和教材大量采用，并被拍成科教片，在中央电视台科教频道播放，在社会上引起了很大的反响，得到了国内外学术同行的高度评价和认同。

思考与练习

查阅资料，找一找还有哪些增材制造行业中的杰出人才事迹。

第四篇 创 客 篇

第十二章

万众创新——关于创客教育

学习目标

1. 了解创客精神的定义、起源。
2. 了解创客空间的定义、起源与发展现状。
3. 了解创客教育的含义、目的、类型与主要问题。

"创客"一词首次出现在2015年国务院总理李克强所作政府工作报告中，随着国务院办公厅发布《关于发展众创空间推进大众创新创业的指导意见》等一系列指导文件，创客这一群体也逐渐走入了公众的视线。

近年来，创客运动开展的红红火火，充分展示了大众创业、万众创新的活力。3D打印作为一种门槛低、自由度高的制造方式，深受广大创客喜爱。增材制造技术可以让许多普通人实践创意，制作成品，体验DIY的乐趣；同时，融入增材制造的创客教育也正在逐渐改变传统的教育方式，激发学生的创造力，帮助学生在创造的过程中将想象变为现实。

一、创客精神的由来

"创客"一词来源于英文单词"Maker"，本意是指不以盈利为目标，努力把各种创意转变为现实的人。创客精神最早起源于美国，在许多美国家庭的地下室或车库中，往往有大量、成套的各种工具（图12-1）。很多小孩子从小就开始使用这些工具跟着父母一起做些修修补补、敲敲打打的工作，稍微长大些后，他们就开始进行一些DIY创造。这些人在后来由于共同的精神、爱好聚到一起，逐渐形成了"Maker"这一群体。

创客的共同特质是创新、实践与分享，但这并不意味着他们都是一个模子里铸出来的人，相反的是，他们有着丰富多彩的兴趣爱好，以及不同的特长。创客们会聚在一起共同进行创造（图12-2），一旦他们聚到一起、相互协作、发挥自己特长时，就会爆发出巨大的创新活力。

图 12-1　摆满工具的美国家庭车库

图 12-2　创客们聚在一起共同进行创造

“创”的含义是：开始做、创造、首创、开创、创立，它体现了一种积极向上的生活态度，同时有一种通过行动和实践去发现问题和需求，并努力找到解决方案的含义。“客”则有客观、客人、做客的意思，客观体现了一种理性思维，而客人、做客体现了人与人之间的一种良性互动关系，一种开放与包容精神，体现在行动上就是乐于分享。

创客的定义可以有多元化的理解，目前所说的创客不仅包含了发明硬件的科技达人，还包括软件开发者、艺术家、设计师等诸多领域的优秀代表。

二、创客空间简介

创客是一群喜欢或者享受创新的人追求自身创意的实现，至于是否实现商业价值不是他们的主要目的。创客空间就是为这些创客们提供实现创意和交流创意、思路，以及产品的线下和线上相结合、创新和交友相结合的社区平台。

1. 创客空间起源

创客空间最早起源于美国麻省理工学院（MIT）比特和原子研究中心（CBA）发起的Fab Lab（个人制造实验室，图12-3）。Fab Lab的构建是以用户为中心、面向应用，融合从创意、设计、制造到调试、分析及文档管理各个环节的用户创新制造环境。Fab Lab的核心理念在于，发明创造将不只发生在拥有昂贵实验设备的大学或研究机构，也不仅属于少数专业科研人员，而有机会在任何地方，由任何人员完成。Fab Lab基于网络的广泛发展带动了个人设计、个人制造的浪潮，创客空间应运而生。

图12-3 美国麻省理工学院的Fab Lab

随着几十年的发展，出现了许多“Maker”们聚在一起的地方，它们在国外有很多叫法：makerspace、hackerspace、hackspace、hacklab、creative space等，在国内则被称为创客空间（图12-4）。

图12-4 创客空间

创客空间是人们能分享兴趣，动手创造的地方。它是一个开源社区，创客能聚集在一

起分享知识、创造新事物，它们经常是由一些实验室、厂房、工作坊、工作室等改造而成。创客空间中的创客们还常常以演讲、讲座等形式分享知识，在空间内举办聚会等社会活动。

2. 国内创客空间形状

2011 年，国内第一个创客空间“新车间”在上海成立。现在国内已经有了上百个正式的创客组织，主要分布于一、二线城市，形成了国内的创客势力（图 12-5），例如北京的“创客空间”、深圳的“柴火创客空间”、杭州的“洋葱胶囊”等。国内创客空间普遍使用的是社区自治的运营方式，创客们通过分享工具与知识来进行个人制造。以下简单介绍国内创客空间的组织方式、筹资方式和管理制度。

图 12-5　中国创客空间“势力图”

（1）组织方式　国内大部分创客空间是非盈利公益组织，通常由发起单位、志愿者、会员等义务进行创客空间的日常管理和运营。有的是因个人爱好而组建的，如上海的“新车间”、深圳的“柴火”创客空间，也有的是由民间爱好者共同组建的，如南京的“创客空间”。创客空间面向公众提供了开放式社区、实验空间和基础设备，传播创客空间的理念以及推广创客文化，致力于推动科技力量和创新文化的发展，整合人才和资源优势，鼓励发明创造和技术创新并形成知识产权和专利。

（2）筹资方式　国外的创客空间发展较早，盈利模式已逐步确定下来，有固定收取的会费，也有众筹网站募集资金。而国内的创客空间筹资方式各不相同，目前大部分创客空间的运营经费主要是核心成员的投入，也有些创客空间得到公司的赞助或者收取一些会费、参观费和租借场地费。如上海的“新车间”沿袭国外社区实验室的 NGO 运作模式，以会员费维持运营；北京的“创客空间”作为“新型创业孵化器”由海淀区和北京市政府提供部分支持，兼具社区与孵化功能，通过小批量生产定制化产品获得收入，是中国第一个市场化运作的创客空间。

（3）管理制度　创客空间管理制度分为空间管理、会员管理和项目管理三个部分。

1）空间管理。创客空间的结构是以工作流程为中心，而不是依靠职能部门来构建，空间通常划分为不同的区域，如工作区、信息交流区、创意区等，成员在不同的区域组织不同的活动。

2）会员管理。通常采用会员制，会员根据缴纳会费多少与参与活动程度的不同分为不同等级，不同级别的会员享有创客空间不同的权益，如材料与工具的使用、工作间的使用、能否参与分享会等。

3）项目管理。创客空间会员按照自愿组合的原则，发起成立创新项目的项目组，包括：由项目组成员共担成本、共享成果的完全公益的项目；由内部或外部提供项目开发经费、承担成本的项目。

3. 创客空间的未来发展与生态产业

创客空间的出现是技术与社会发展协同演化的表现，创客空间的出现正在掀起一场面向每个人的创造力革命。创客空间不仅提供工具，本身也是一种新文化社区，设计新产品的过程同时也是建立社区的过程，在不同的行动者与利益相关者之间建立网络，随着越来越多的利益相关者参与到创客运动中，逐步形成以创客空间、众筹网站、开源硬件、线上技能分享社区为基础的创客生态产业链（图 12-6）。

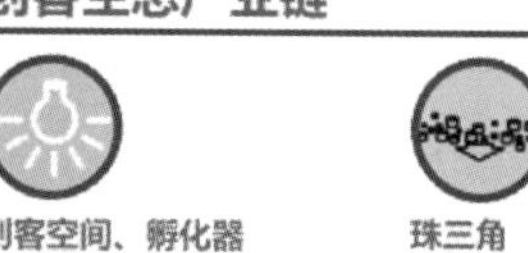

图 12-6　创客生态产业链

通常，利益不是创客项目的主要诉求。创客运动的主体是作为创造者的“用户”，而非“市场”，他们的目标是满足个体的独特需求，有时甚至带有一定的感情色彩。无论是空间盈利也好，维持空间运转也好，都需要结合创客空间所在的地域特色来发掘运营模式，结合本地的资源模式，激发人才的协作与创新，把创客空间融合到当地产业，利用资源整合的优势推动产业或者创新领域的发展。

三、创客教育现状

创客教育是创客文化与教育的结合，基于学生兴趣，以项目学习的方式，使用数字化工具通过动手操作将创意的想法变成实实在在的作品。这是一种倡导造物、鼓励分享、培养学生跨学科解决问题能力、团队协作能力和创新能力的素质教育方式。

1. 政府推动与相关政策

我国创客教育兴起于 2013 年。2015 年国务院总理李克强在政府工作报告中明确提出我国政府将加大对创客自由创业的支持力度，为创客教育提供强有力的政策保障和支持。至此，创客教育在我国北京、上海、广州、深圳以及温州等地中小学校开始流行起来，短短几年时间，创客教育已经从新名词变成了许多中小学校课表中的熟悉面孔。将“创客”的理念融入“教育”，为我国传统教育注入了新的活力。

2. 创客教育类型

创客教育鼓励学生在创造过程中有效地使用数字化工具，如开源硬件、3D 打印、激光切割机等，培养学生动手实践的能力，让学生在发现问题、探索问题、解决问题的过程中将自己的想法作品化。简而言之，创客教育的核心就是利用各种设备与工具将自身的创意转变为实际产品。

创客教育的类型大致可从两个维度进行区分，一是面向对象的不同分类（表 12-1），二是基于课程载体的不同分类（表 12-2）。

表 12-1　面向不同学段的创客教育类型

学段	授课形式	课程特点
大学	创客实验室模式 社团选修课模式	通过创意原型、产品迭代、项目孵化完成创新实践，践行“做中学”精神
高中	常规课程 体验型课程 竞赛型课程	偏重于解决一个真实问题，同时对技术的要求较高，强调“学思结合”
初中		侧重应用与探究，强调“学做结合”
小学		注重学生的动手体验与趣味性，强调“乐学结合”

表 12-2　基于不同课程载体的创客教育类型

载体类型	课程内容
结构创意类创客课程	主要涉及创意的原型设计与实现、制造设备与工具等内容，如 3D 打印、激光切割、小型车铣、玩具制作等
电子机械类创客课程	主要涉及电子电路设计、机械组合以及人工智能等方面，如电路设计、传感器技术、智能机械、Arduino、pcDuino、Microbit 等平台
逻辑程序类创客课程	主要涉及图形化编程语言以及软硬件联合编程工具的使用及设计，如 Scratch、App Inventor、Python、Mixly、Mind+等
艺术创作类创客课程	主要涉及文化及艺术创作，包括平面设计、Autodesk 设计以及陶艺、纸艺等工艺设计

3. 创客教育主要问题

创客教育持续发展的同时，在实施过程中也发现了一些问题，最主要的问题是缺乏完善的课程体系和优秀的专业师资，这已经成为影响我国创客教育健康发展的隐患。

（1）缺乏完善的课程体系　虽然我国投入到创客教育理论研究的学校、研究机构数量正在持续增长，但就目前而言，带有中国特色的创客教育理论体系还没有完全建立起来，课程结构还不完善。目前我国创客教育推广以知识普及式为主，各学校开设的创客课程五花八门，缺乏系统的课程设计和实施，如何深入研究创客教育的本质和规律，完善本土化的创客教育理论体系是亟待解决的问题。

（2）缺乏优秀的专业师资　我国创客教育专业师资队伍的缺失问题也很突出，大大影响了创客教育的深入发展。目前我国创客教育中的中小学教师大部分都是出于一种兴趣和爱好，缺乏专门的创客教育培训。专业的创客教师要具备除了教师本身必备的教学能力以外的多学科知识的能力，具有突出的启发诱导能力。随着我国创客教育不断深化，对创客教师的要求也会越来越高，加强对创客教师系统性地专业培养将成为推动我国创客教育发展的必由之路。

思考与练习

1. 何谓创客，创客精神的由来是什么？
2. 创客空间由什么构成，通常它的运作模式是怎样的？
3. 创客教育包含哪些类型？对应的课程内容和特点是什么？

第十三章

别“创”一格——生活中的发明创造

学习目标

了解如何在日常生活中应用增材制造技术创造出有用、有趣的物件，培养学生的创新意识，激发创新思维。

“创客”这个词距离我们其实并不遥远，只要有创新的精神、实干的态度，每个人都可以成为一名创客。增材制造技术已经逐渐走进了我们的生活，每个人都可以充分发挥想象，利用最简单的桌面级 3D 打印机，将脑中所想变为现实，真正成为一名生活中的创客。

一、生活用品我来造

我们在日常生活中使用的一些生活用品，虽然结构简单却非常实用，可以使用增材制造技术自己来制作。

1. 花盆、花瓶

居室摆花清新雅致，多肉、盆栽、花朵这类植物也就成为了我们生活中常见的装饰物。不过，除了植物本体，精美的花盆或花瓶也可以是植物装饰中的点睛之笔。下面分享那些造型独特的艺术花瓶的制作方法。

花瓶作为一种薄壁件，在使用中并不承受太大外力，强度要求不高，可以使用 Cura 软件中的“螺旋打印”功能进行外轮廓的单层打印。

首先自行绘制或在网上下载一个立体几何形状模型（图 13-1），该模型可以是一个现成的空心体，也可以是一个实心体；将模型导入 Cura 软件，调整大小并摆放好位置和方向后，勾选 Special Modes（特殊模式）下的 Spiralize the outer contour（螺旋打印外部轮廓）选项（图 13-2），生成打印程序；再将在该模式下生成的加工程序导入设备，即可控制 3D 打印机 Z 轴稳步上升，将实心图形打印成薄壁花瓶造型（图 13-3）。

2. 孔明锁玩具

孔明锁，也称为八卦锁、鲁班锁，它是一种中国古代的智力玩具，造型精巧，不用钉子和绳子，完全靠自身结构的连接支撑，展现了一种看似简单却凝结着不平凡的智慧。

使用 3D 打印技术，完全可以将这一经典进行重现。首先使用三维 CAD 软件对每一块孔明锁进行三维建模（图 13-4），将数据导出为 STL 文件进行分层切片并生成加工程序，由于孔明锁的造型方正、有规则，所以合理摆放后基本上可以做到无支撑打印；随后将数据导入 3D 打印设备，启动设备并等待完成打印后即可得到每一块孔明锁的部件（图 13-5）。把 3D 打印出来的孔明锁拼装起来，一款融合古人创意与现代技术的独特玩具便呈现在大家眼前（图 13-6）。

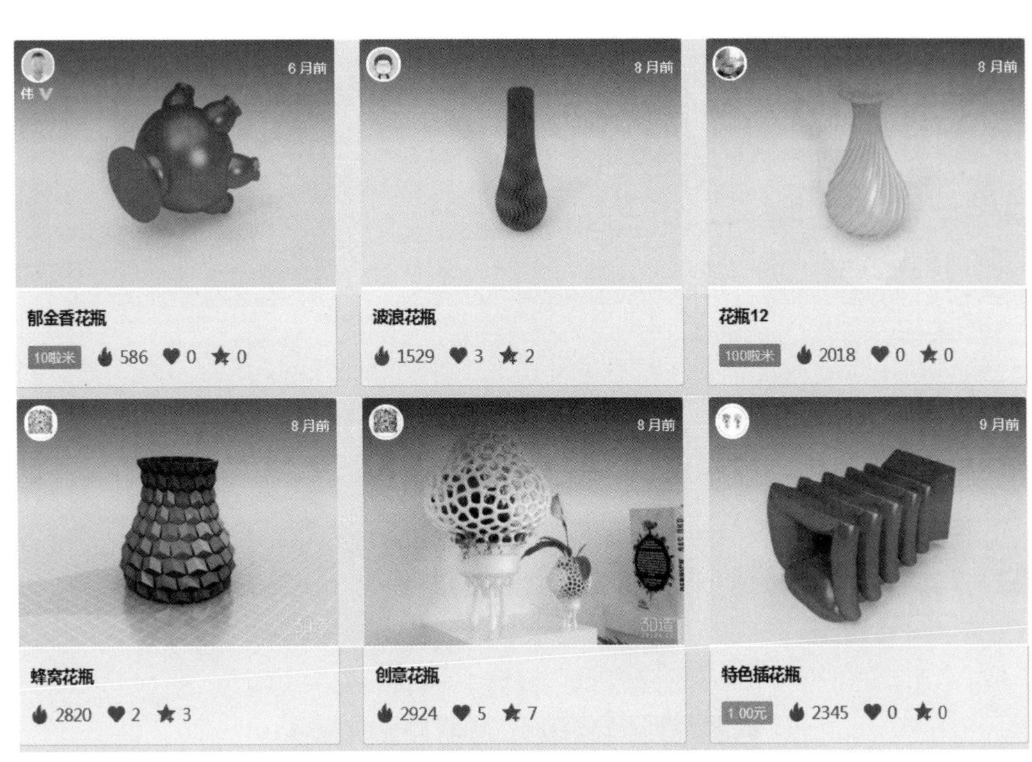

图 13-1　网络上的艺术造型数据模型

专家设置

回丝

最小移动距离(mm)	1.5
启用回抽	外部
回抽前的最少挤出量(mm)	0.0
回退时Z轴抬起(mm)	0.0

裙边

线数	1
开始距离(mm)	3.0
最小长度 (mm)	150.0

冷却

风扇全速开启高度(mm)	0.0
风扇最小速度(%)	100
风扇最大速度(%)	100
最小速度(mm/s)	10

支撑

支撑类型	线性支撑
支撑临界角(deg)	60
支撑密度(%)	15
距离 X/Y (mm)	0.7
距离 Z (mm)	0.15

螺旋

螺旋打印	☑
打印壳体	☐

底层边线

边缘线圈数	20

底层网格

外加边线(mm)	5.0
线条间距 (mm)	3.0

图 13-2　螺旋打印外部轮廓模式

图 13-3　艺术造型花瓶

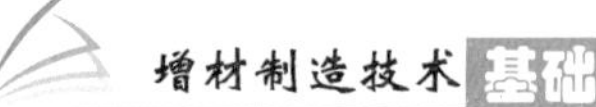

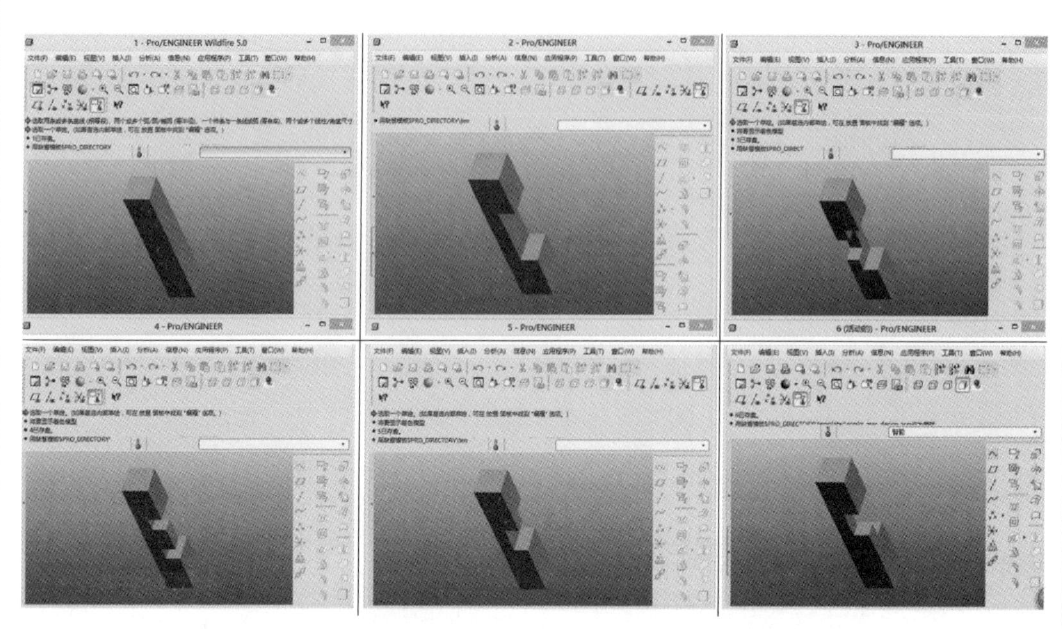

图 13-4　孔明锁的三维造型

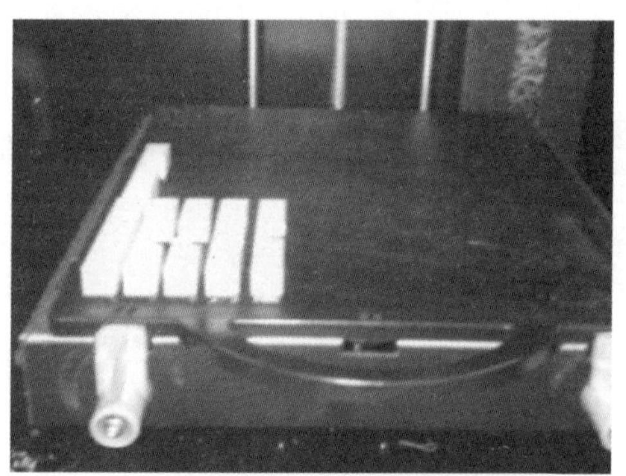

图 13-5　3D 打印孔明锁部件

图 13-6　拼装完成后的孔明锁 3D 打印件（左）与实物（右）对比

3. 冰墩墩摆件

“冰墩墩”是2022年北京冬奥会的吉祥物，你可曾想到用3D打印的方式也能制作一个冰墩墩摆件呢？

首先可以在网络上寻找冰墩墩摆件的三维模型，目前互联网上有许多可以开放下载3D打印数据模型的网站，如国内的“打印啦”“打印虎”“我爱3D网”“3D虎”以及国外的Thingiverse MyMiniFactory等。找到并下载模型后，将模型导入切片软件进行处理，生成加工程序（图13-7）；将程序导入并启动3D打印机，数小时后便可完成冰墩墩摆件的制作（图13-8）。再对它进行后处理（图13-9），于是便得到了一个可爱的冰墩墩摆件（图13-10）。

冰墩墩摆件

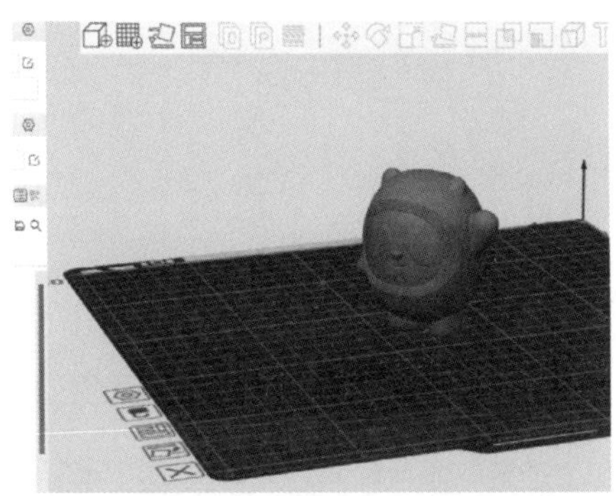

图13-7　模型导入切片软件

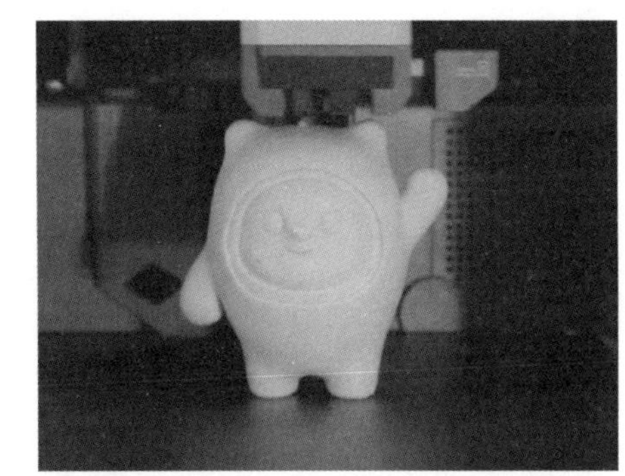

图13-8　3D打印出的冰墩墩摆件

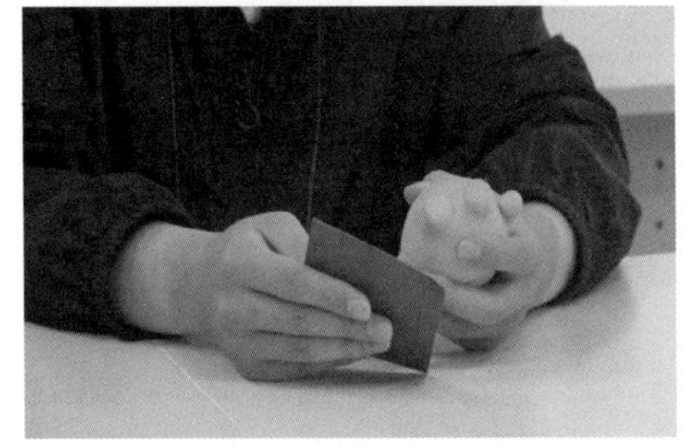

图13-9　后处理及上色

图13-10　完成制作的冰墩墩摆件

4. 3D打印其他生活用品（表13-1）

表　13-1

名　称	模　型
搭扣	

（续）

名　称	模　型
小瓶子	
夹子	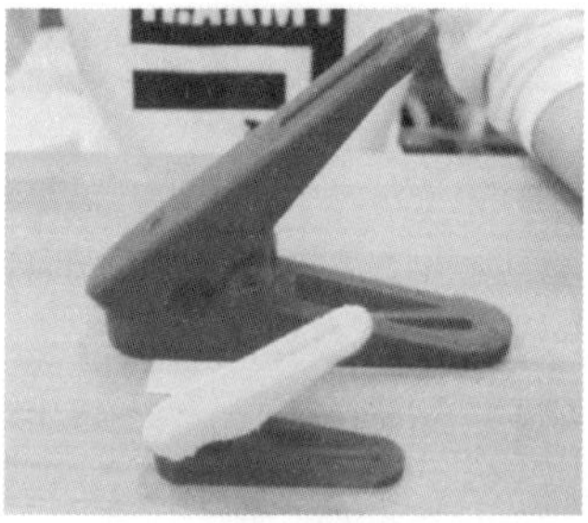
收纳盒	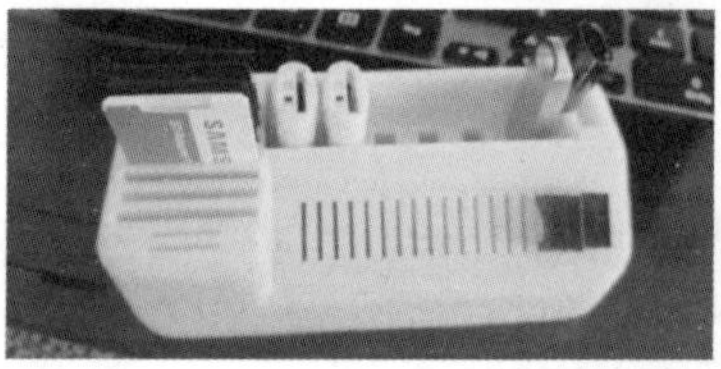 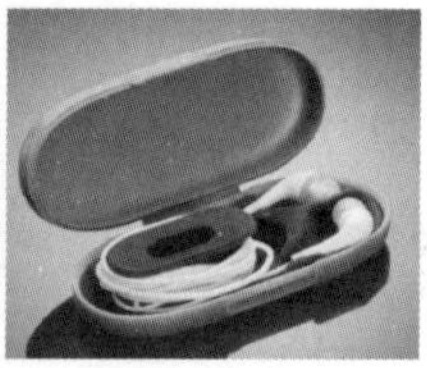
多功能水壶	
数字日晷	 数字日晷

（续）

名　称	模　型
快速模具	

二、个性造型（FreeStyle）

创客通过三维造型软件充分发挥想象力，对一些物件进行结构上的创新，完成个性造型。

1. 兵器笔

十八般兵器放在兵器架上的场景在电视上见过，那么能写字的兵器笔放在兵器笔架上的场景，可曾在现实生活中目睹过？将写字的笔与笔架做成兵器与兵器架的造型，是一个非常有趣的创意。首先，测量笔芯的长度、直径等尺寸，对应设计笔杆部分，笔杆同时作为兵器长杆部分造型；接着设计笔帽，笔帽可以设计成诸如偃月刀、蛇矛、画戟这类兵器的造型；对应兵器笔的造型，进一步设计兵器架（笔架）的造型。如此，完成这一系列的三维造型后（图 13-11），将数据进行转换并导入 3D 打印机，即可打印出笔架与笔杆（图 13-12），将笔芯装入笔杆后（图 13-13），即完成了这一造型独特的兵器笔的创意。

图 13-11　兵器笔与笔架三维造型

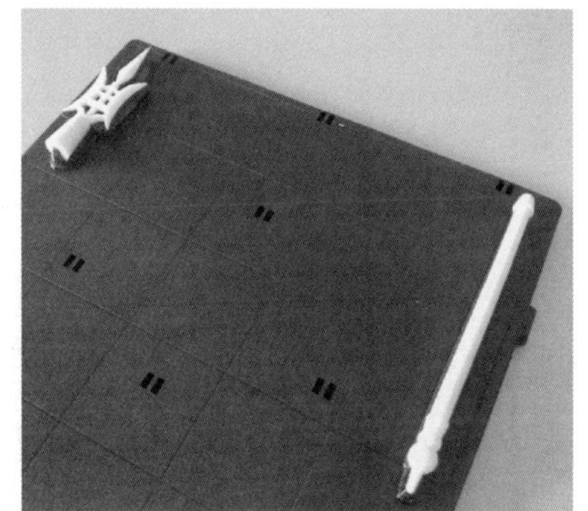

图 13-12　3D 打印兵器笔

2. 钥匙扣

钥匙扣是日常生活中常见的小饰品，人们往往会根据自身喜好选用彰显个性的钥匙扣。那么，自制一款独特造型钥匙扣，也是非常有趣的。

制作钥匙扣的关键在于三维建模，可以使用“描图法”辅助进行创作。首先，在一张白纸上绘制想要的钥匙扣图形（图13-14）；接着，将图片导入三维建模软件进行描图建模，构建出对应的钥匙扣三维造型（图13-15）。不仅可以自己绘制图形，也可以在网上下载喜欢的图形进行描画，采用“描图法”可以很方便地绘制出自己喜爱的钥匙扣三维造型。完成造型后，将数据进行转换，导入3D打印机进行打印（图13-16），即可制作出造型各异、个性十足的钥匙扣（图13-17）。

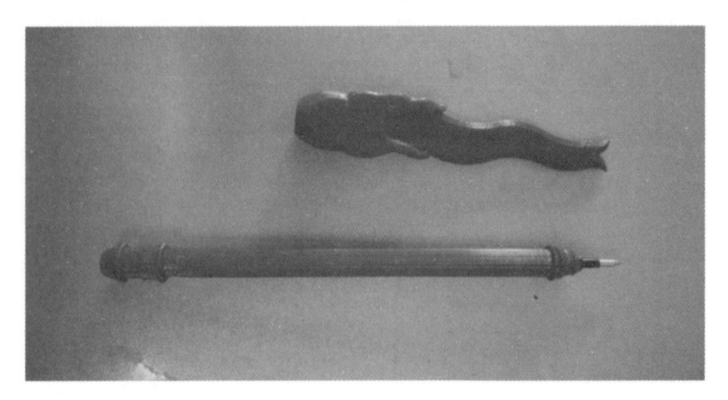

图13-13 将笔芯装入笔杆后即完成了可以写字的兵器笔

图13-14 绘制想要的钥匙扣图形

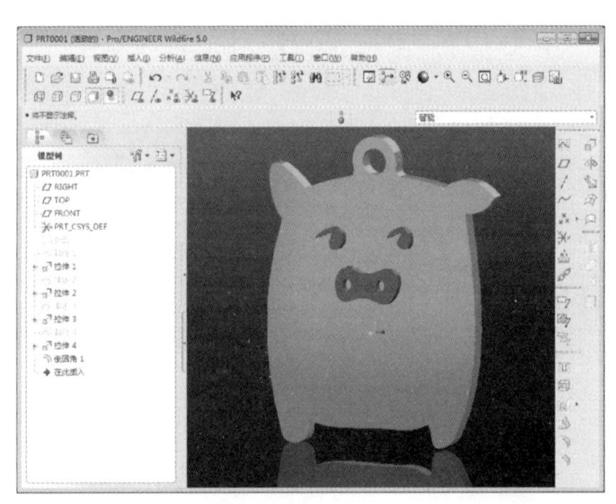

图13-15 对钥匙扣形状进行描图建模

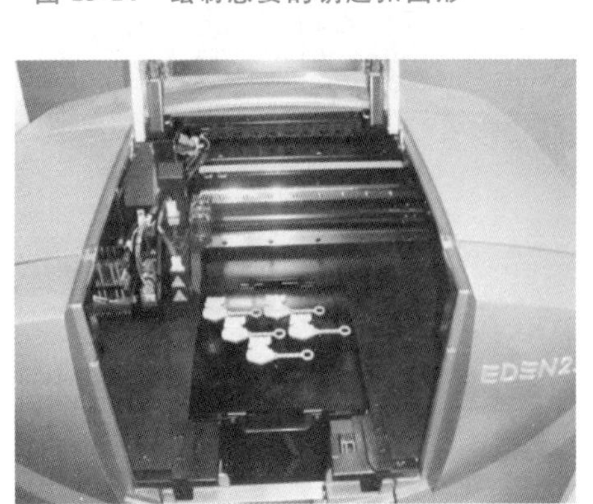

图13-16 3D打印制作钥匙扣

图13-17 钥匙扣3D打印制件

3. 艺术灯罩

灯罩是一件兼具功能性与艺术性的物品。艺术类的曲线造型并不容易绘制，不过可以充分利用互联网上的现有资源。首先，登录3D模型下载网站找到一件中意的三维艺术模型（图13-18）；对模型进行检测、修复，并进行结构优化，调整大小比例，增加与灯体的配合结构等（图13-19）；完成造型后，将模型进行3D打印即可得到艺术灯罩（图13-20）。深夜按下开关，伴随光线亮起，让我们在漆黑的夜晚感受不一样的绚丽（图13-21）。

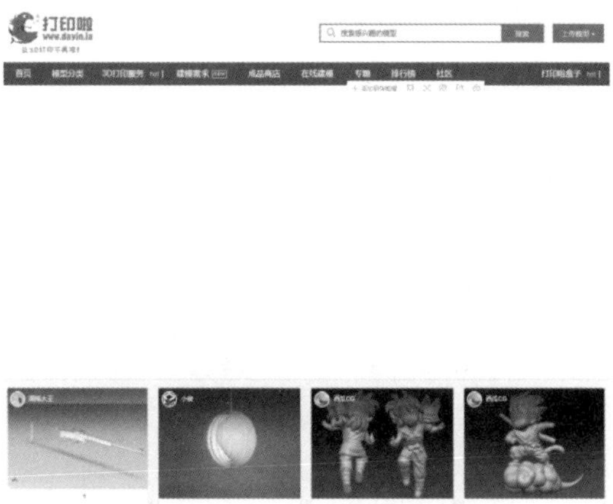

图13-18　通过网络搜索艺术模型

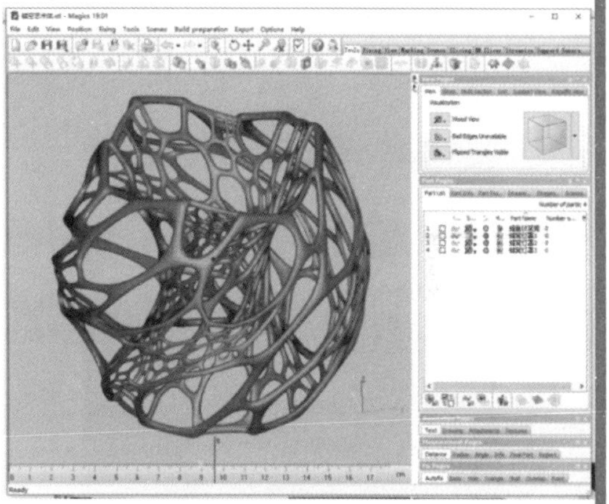

图13-19　修复、编辑灯罩造型

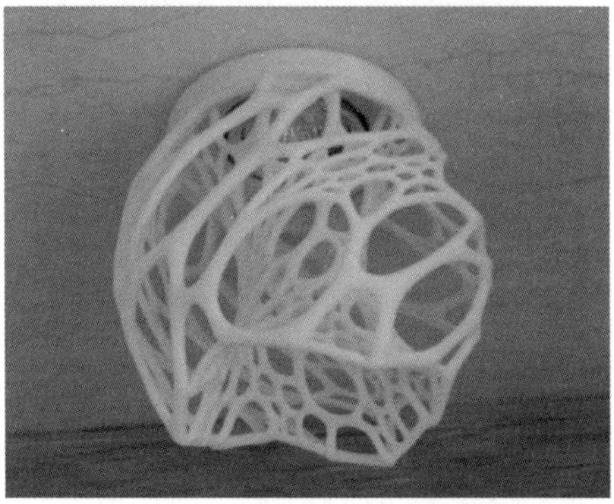

图13-20　3D打印艺术灯罩

图13-21　艺术灯罩照明效果

4. 创意U盘

U盘可是我们每个人手头必不可少的存储工具。要自制一个好看好用的U盘，就必须兼顾其内部芯片配合尺寸以及外部造型。首先，准备好一块U盘芯片并测量其尺寸（图13-22）；接着，对应芯片尺寸设计好其配合部分的结构尺寸（图13-23），要注意保证插入部分的伸出长度以及厚度，确保其使用性；接着，设计U盘的外部造型，可以创新设计，也可以使用之前提到的“描图法”（图13-24）；最后，将U盘外壳的造型使用3D打印机制作出，并将芯片装入并粘牢，即完成了一枚既好看又好用的创意U盘（图13-25）。

图 13-22 准备 U 盘芯片

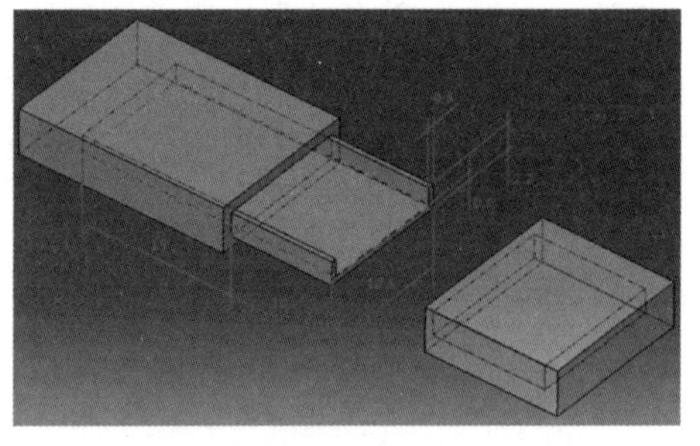

图 13-23 设计与芯片配合的结构部分

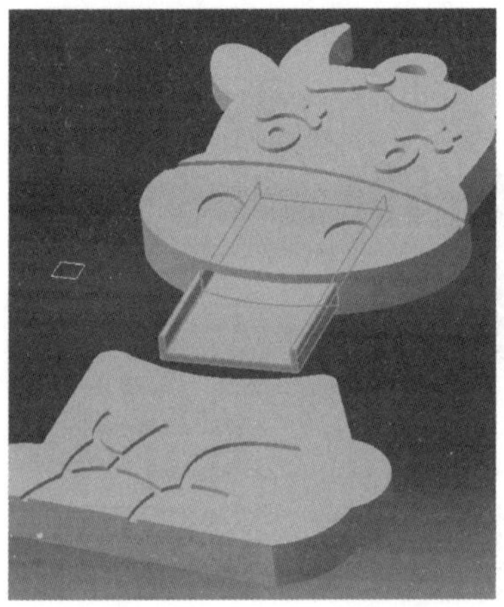

图 13-24 完成 U 盘外观造型

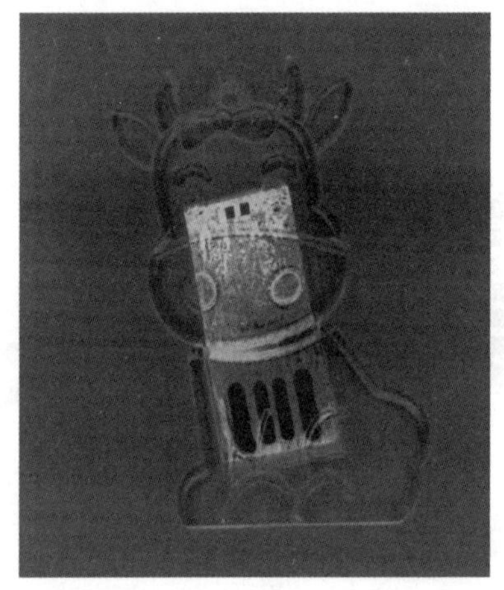

图 13-25 3D 打印创意 U 盘

5. 3D 打印其他个性化物件（表 13-2）

表 13-2

名称	模型
书签	
笔筒	

（续）

名　称	模　型
个性戒指	
卡通摆件	
益智玩具	
魔法棒	魔法棒
南瓜灯	

（续）

名　　称	模　　型
小车	
武器模型	
建筑模型	

三、创新创意小发明

想象力是一名创客最重要的武器。有趣的奇思妙想加上脚踏实地的动手实践，便可以创造出许多让人惊叹的小发明。

1. 磁悬浮植物景观

磁悬浮植物景观

空气凤梨是一种景观植物，它是一种不用泥土即可生长茂盛，并能绽放出鲜艳花朵的植物。通常养殖空气凤梨时，会用钢丝、贝壳或树蕨板与之结合，简单搭配就会产生非常良好的视觉效果。作为一名创客，如何将3D打印与空气凤梨相结合，制作磁悬浮空气凤梨景观。

首先购买磁悬浮套件以及空气凤梨植物（图13-26）；接着，根据磁悬浮套件的尺寸设计底座外壳，同时也为空气凤梨设计各类造型各异的小花盆（图13-27）；最后，将设计的三维模型使用3D打印机制作出来，将磁悬浮套件装入外壳，将空气凤梨装入创意造型的小花盆并使用热熔胶固定。接通电源，空气凤梨便伴随着磁力悬浮在空中，一个创意十足的植物景观便完成了（图13-28）。

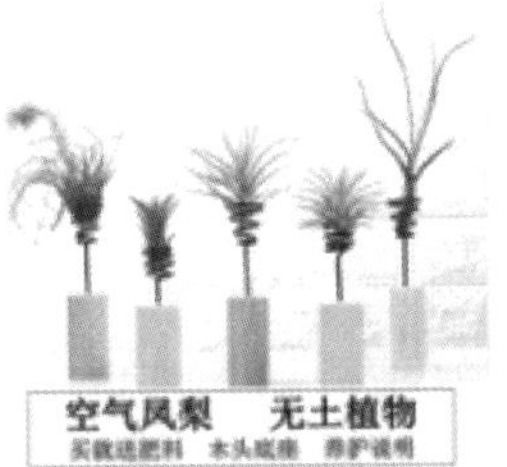

图 13-26　购买磁悬浮套件以及空气凤梨

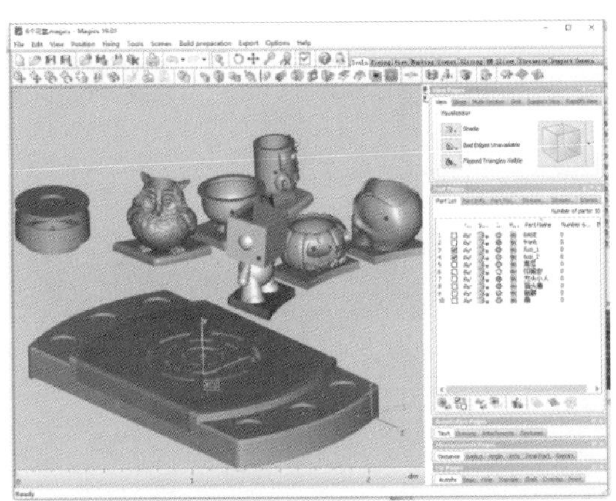

图 13-27　设计外壳以及花盆造型

图 13-28　磁悬浮空气凤梨景观

2. 无线充电小夜灯

无线充电小夜灯将增材制造工艺与无线充电技术完美结合，营造了一种与众不同的生活体验，它不仅具备传统夜灯的照明功能，方便生活起居，更重要的是实现无线充电、随手拿取的设计，非常方便。平常不用时，可以将小灯放在底座上充电，而需要使用时，随后可以把它放到书桌、厨房、卫生间等任何需要之处，轻轻按下开关即可点亮。

小夜灯的核心功能模块包含：无线充电套件、蓄电池、LED 灯。在进行结构设计时，需要注意底座壳体与灯体底部的塑料厚度，如果厚度太大则会导致无法进行无线充电。此外，小灯的灯罩部分也需要合理地设计厚度并在 3D 打印时选用白色塑料，如此方能确保小灯在点亮时发出能够照明的柔和灯光。

将底座与灯体的各个部分打印完成后，装入无线充电套件、锂电池、开关、LED 灯等配件（图 13-29），在 LED 灯上涂覆散热硅胶，完成各配件的排线连接（图 13-30），将白色的灯罩装上，即完成了小夜灯（图 13-31）。经过一段时间的充电，取下小夜灯，并按下开关，可以看到小夜灯顺利地被点亮（图 13-32）。

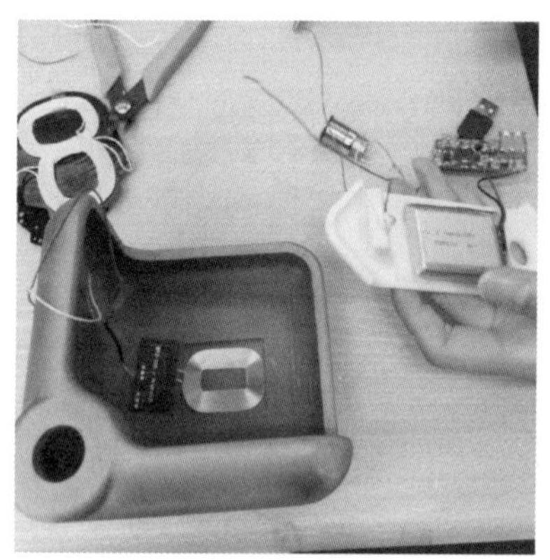

图 13-29 将各种配件装入 3D 打印制作的灯体

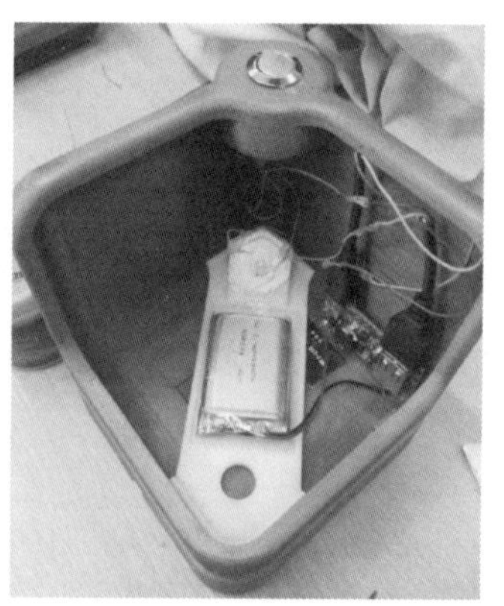

图 13-30 排线连接配件

图 13-31 3D 打印无线充电小夜灯

图 13-32 点亮小夜灯

3. 生态加湿器

生态加湿器

加湿器可以帮助缓解空气干燥，使得屋内保持一定的湿度。那么，创客的桌上应当摆上怎样的加湿器？来看一下这款专属于创客的 DIY 生态加湿器：独特的造型，并且在加湿器出汽口摆上一圈苔藓植物，搭配一些小人玩偶。不仅有景观植物的既视感，而且彰显了湿润的苔藓植物与加湿器本身的完美搭配，是一款创客精神十足的炫酷之作。

制作的关键是结构设计。将底座、景观平台、移门等各部分进行三维建模并完成 3D 打印制作（图 13-33）；随后，将加湿模块装入底座并完成连线（图 13-34），将苔藓植物置入位于出汽口处的景观平台内（图 13-35）。如此，这款生态加湿器便完成了，装入清水并接通电源，朦胧的水汽便从苔藓丛中弥散开来（图 13-36）。

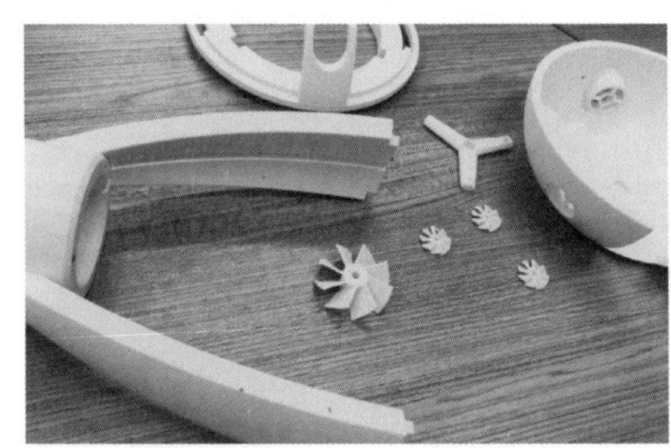

图 13-33　3D 打印加湿器结构件

图 13-34　将加湿模块装入底座

图 13-35　将景观平台部分装入苔藓植物

图 13-36　生态加湿器开始工作

4. 双足步行机器人

双足步行机器人

如果畅想创客空间中充满科技感的画面，那么或许人脑海中会蹦出一个功能强大还充满智慧的机器人来。那么，是否能像钢铁侠为自己创造一个贾维斯一样，也帮自己创造一个真实的机器人伙伴？下面一起来看看这款双足步行机器人。

该机器人外形的设计参考了某品牌的机器人（图 13-37），同时，内部设计了能够行走的双足步行机构（图 13-38）。在三维设计软件中进行各零部件的建模，并进行装配以及运动仿真分析（图 13-39），验证机构的运动。确认无误后，将各零部件 3D 打印制作完成并装配，接通电源后，双足步行机器人便迈开双足向前走了起来（图 13-40）。

图 13-37 机器人外形

图 13-38 机器人内部运动机构

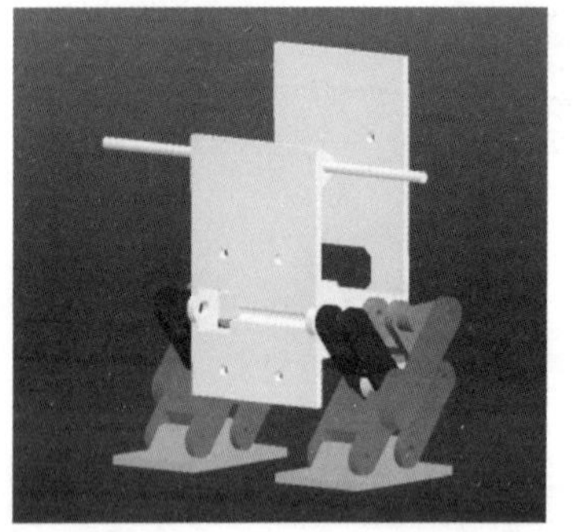

图 13-39 运动仿真分析

图 13-40 机器人双足步行

5. 3D 打印其他创新创意物件（表 13-3）

表 13-3

名 称	模 型
小台钻	 小台钻

（续）

名　称	模　型
四旋翼飞行器（无人机）	无人机
重力势能小车	重力势能小车
照片浮雕灯	浮雕灯
机械手	机械手

（续）

名 称	模 型
蛇形爬行机器人	蛇形爬行机器人

多功能台灯

柔光蓝牙音乐加湿器

生活中的发明创造

思考与练习

开动脑筋，构思一个基于增材制造技术创作的创意物件。

参 考 文 献

［1］ 李艳. 3D打印企业实例［M］. 北京：机械工业出版社，2017.

［2］ 高帆. 3D打印技术概论［M］. 北京：机械工业出版社，2015.

［3］ 杨占尧，赵敬云. 增材制造与3D打印技术及应用［M］. 北京：清华大学出版社，2017.

［4］ 王寒里，原红玲. 3D打印入门工坊［M］. 北京：机械工业出版社，2018.

［5］ 王晓燕，朱琳. 3D打印与工业制造［M］. 北京：机械工业出版社，2019.